sous la direction
de **Louise St-Cyr**
avec la collaboration
de **Francine Richer**
HEC Montréal

Les Éditions
LA PRESSE

Catalogage avant publication de Bibliothèque et Archives Canada

Vedette principale au titre :

PME : conseils et solutions

Comprend des réf. bibliogr. et un index.

ISBN 2-923194-13-6

1. Petites et moyennes entreprises – Gestion. 2. Gestion d'entreprises.

HD62.7.P63 2005   658.02'2   C2004-941963-3

Collectif sous la direction
de Louise St-Cyr
avec la collaboration
de Francine Richer
HEC Montréal

Coordination du projet
Martine Pelletier

Conception graphique
Bernard Méoule

Infographie
Nathalie Perreault

Les Éditions La Presse

Président
André Provencher

Directeur de l'édition
Martin Rochette

Adjointe à l'édition
Martine Pelletier

©Les Éditions La Presse
TOUS DROITS RÉSERVÉS

Dépôt légal – 2e trimestre 2005
Bibliothèque nationale du Québec
Bibliothèque nationale du Canada

ISBN 2-923194-13-6
Imprimé et relié au Québec

Les Éditions
LA PRESSE

2825, ch. des Quatre-Bourgeois
C.P. 9425
Ste-Foy (Québec)
G1V 4B8

Téléphone : (418) 658-7272
Sans frais : 1 800 361-7755
Télécopieur : (418) 652-0986

Table des matières

Préface

Cet ouvrage est le résultat d'un partenariat entre HEC Montréal et *La Presse*. L'objectif premier de cette collaboration était la diffusion de connaissances entrepreneuriales destinées à la communauté d'affaires et au grand public. Pour HEC Montréal, ce fut l'occasion d'inviter ses professeurs et ses chercheurs à promouvoir les fruits de leurs recherches, à se rapprocher du milieu des affaires, à démontrer comment des résultats de recherches peuvent éclairer des questions de la vie courante en plus d'apporter des solutions et des conseils à des problèmes parfois complexes. La Chaire de développement et de relève de la PME [1], dont la titulaire est Louise St-Cyr, a accepté de fournir des chroniques hebdomadaires dont le message serait clair, adapté aux lecteurs et surtout utile aux gestionnaires et aux professionnels de la gestion.

Au fil des semaines, nous avons publié 81 chroniques abordant plusieurs thèmes de l'actualité en gestion et chaque chronique a été accueillie avec enthousiasme par les lecteurs de *La Presse*. Dans le but de redonner vie à ces chroniques et de poursuivre nos efforts de diffusion auprès du grand public, Louise St-Cyr et *La Presse* ont décidé de publier dans le présent livre une sélection des chroniques destinées aux dirigeants. Ils en ont choisi 52, rédigées par 40 auteurs, qui ont été regroupées sous des thèmes intégrateurs.

---

1. Les partenaires de la Chaire de développement et de relève de la PME sont le Fonds de Solidarité FTQ, l'Ordre des administrateurs agréés du Québec, Développement économique Canada pour les régions du Québec, Hydro-Québec, Bell Canada et PricewaterhouseCoopers.

Nous croyons que chacune des chroniques apporte de nouvelles perspectives sur les PME en plus de pistes de réflexion et des solutions aux dirigeants des PME, à ceux qui y travaillent et au public intéressé par le sujet. D'ailleurs, les auteurs ont tenu à fournir de nombreux exemples et à annoter leurs textes dans le but qu'ils servent d'outil de référence.

Nous exprimons toute notre gratitude à nos partenaires, *La Presse* et les Éditions La Presse, à nos professeurs, pour leur collaboration et leur soutien remarquable. Des remerciements chaleureux et spéciaux vont à Louise St-Cyr, Stéphane Lavallée et Richard Déry, qui ont accompli un travail exemplaire depuis trois ans : avec rigueur, patience et dévouement, chaque semaine, ils ont consacré temps et efforts à adapter le style de ces chroniques et à en parfaire le contenu afin de répondre aux besoins des dirigeants d'entreprises et éveiller l'intérêt du grand public.

Nous vous souhaitons une lecture des plus agréables et des plus instructives.

Jean-Marie Toulouse
Directeur HEC Montréal

Remerciements personnels

Mes remerciements s'adressent en premier lieu à tous les professeurs, conseillers, chargés de cours et de formation, professionnels de recherche et collaborateurs qui, au fil des semaines, ont contribué avec fidélité et enthousiasme à la rédaction des chroniques. Leur participation est d'autant précieuse lorsque je considère qu'ils ont accepté de participer à ce travail de mise en commun en sachant que les demandes étaient nombreuses et qu'ils seraient appelés à faire des choix.

Je remercie également M. Stéphane Lavallée de *La Presse*, pour ses judicieux conseils et sa grande disponibilité, ainsi que Madame Rachel Beaudoin, secrétaire de la Chaire de développement et de relève de la PME, pour son excellent travail de révision et de suivi de tous les articles, semaine après semaine. Merci enfin à Madame Francine Richer, collaboratrice fidèle, dont le dynamisme ne se dément pas. Toute réalisation est collective.

Louise St-Cyr
Titulaire Chaire de développement et de relève de la PME

Introduction

Quels sont les principaux éléments qui accompagnent l'émergence et contribuent au succès de toute PME? Cette question est fondamentale puisque la connaissance de ces facteurs est un gage de continuité, voire de survie pour l'entreprise.

À l'étape de sa création, la PME a besoin d'un entrepreneur enthousiaste et d'un bon produit ou d'une bonne idée, d'argent, de technologie et d'équipement, d'employés compétents et, bien sûr, de clients. Puis, pour se développer, elle a besoin des mêmes ingrédients, mais cette fois adaptés, multipliés, améliorés et raffinés en fonction de sa croissance et de son environnement.

Ajoutons enfin qu'il ne faut pas sous-estimer l'importance pour le dirigeant d'acquérir les connaissances qui lui permettront de bien évaluer ses besoins et d'identifier les ressources disponibles afin de disposer d'une information de qualité sur laquelle se baseront ses décisions et les changements qu'il veut concrétiser avec succès dans son entreprise.

C'est dans cette perspective que HEC Montréal, en collaboration avec *La Presse* et les Éditions La Presse, a regroupé dans cet ouvrage collectif 52 chroniques destinées aux dirigeants de PME québécoises et à ceux qui s'intéressent à leur développement.

Les PME méritent notre appui

On ne saurait remettre en question l'importance des PME car, statistiques à l'appui, leur présence, leur capacité d'innovation, leur souplesse ainsi que leur rôle dans la création d'emplois et dans le maintien de la vitalité des régions sont depuis longtemps confirmés.

Les institutions financières et les groupes de recherche qui leur sont affiliés s'intéressent toujours davantage aux PME et certaines études récentes ont contribué à les faire mieux connaître. C'est ainsi que BMO Groupe financier[1] a souligné que, de 1983 à 2003, les PME ont créé deux fois plus d'emplois que les grandes entreprises, soit 78 % des 4,7 millions d'emplois créés au Canada durant cette période.

Par conséquent, la répartition des travailleurs selon la taille des entreprises qui les emploient ne nous surprend guère. Au premier semestre de 2003, alors que 15,2 % des travailleurs canadiens étaient à leur compte, 47,6 % étaient embauchés par des entreprises de moins de 500 employés comparativement à 37,1 % qui l'étaient par les grandes entreprises (500 employés et plus). Cette étude souligne également que ce sont les entreprises de 50 à 99 employés qui ont le plus progressé. Leur nombre a crû à un taux annuel composé de 3,5 % et elles représentent maintenant 16,7 % des travailleurs. L'importance relative de ces entreprises démontre que leurs dirigeants ont su bien manœuvrer.

Selon une autre étude, celle-ci effectuée par la CIBC et qui s'intitule *Les PME au Canada – une force en pleine croissance*[2], bientôt, près de 25 % des PME canadiennes seront concentrées au Québec.

---

1. BMO Groupe financier, Communiqué du 23 octobre 2003, « La croissance de l'emploi des PME a été le double de celle des grandes entreprises », source : http://www2.bmo.com/news/article/0,1257.

2. CIBC, Communiqué du 29 août 2003, « Les PME au Canada – une force en pleine croissance », source : http://www.quebecpme.ca/Actualites/index.asp?article=2622.

Le taux de survie de ces entreprises est de 68 % après trois années d'existence; ce taux se compare avantageusement au taux de survie des PME de l'Ontario et de la Colombie-Britannique.

Le secteur des services et le secteur manufacturier constituent les éléments les plus dynamiques du monde des PME au Québec. Parmi les facteurs qui influencent positivement leur évolution, soulignons la force du lien qui caractérise les échanges commerciaux entre les PME et les grandes entreprises, particulièrement dans le secteur manufacturier. Ici comme ailleurs au Canada, elles ont tendance à s'installer dans les grands centres urbains : c'est le cas de 62,5 % d'entre elles.

Certaines de ces PME font preuve d'un dynamisme exceptionnel. Une étude menée auprès d'entreprises ayant connu une forte croissance de 1988 à 1998 [3] a déterminé les facteurs qui les caractérisent. Il s'agit d'organisations décentralisées où la gestion participative est privilégiée. Elles bénéficient d'un leadership fort qui réussit à donner une orientation cohérente à l'entreprise. Elles parviennent à se différencier dans leur offre de produits et services, en prenant un soin particulier à échanger avec leurs clients. Finalement, elles mettent beaucoup l'accent sur la formation continue. À cette fin, elles entretiennent des liens privilégiés avec des ressources externes, ce qui favorise l'innovation.

Malgré ces succès retentissants, il n'en demeure pas moins que plusieurs PME éprouvent des difficultés, notamment dans le recrutement d'une main-d'œuvre qualifiée et dans l'accès au financement, qui peuvent survenir au moment du démarrage ou au cours de leur évolution.

---

3. Il s'agit de PME qui ont connu un taux de croissance important, soit du nombre d'employés, soit du chiffre d'affaires. Pour plus de détails, voir : JULIEN, P.A. *Les PME à forte croissance : comment gérer l'improvisation de façon cohérente*, Institut de recherche sur les PME, Université du Québec à Trois-Rivières, février 2000, 58 pages.

L'argent, ce nerf de la guerre et de la croissance

Bien sûr, sans marché et sans clients, il n'y a pas d'entreprise possible mais, peu importe le potentiel d'affaires, un accès adéquat au financement demeure une condition essentielle du développement des entreprises. Si plusieurs programmes ont été mis en place par les différents paliers de gouvernement en vue de soutenir les PME dans leurs initiatives, de nombreux dirigeants disent ne pas les connaître suffisamment pour les utiliser à bon escient. Leurs exigences paperassières constituent un irritant décrié de façon régulière depuis plusieurs années par une majorité d'entrepreneurs.

Les conditions d'accès au financement institutionnel font également l'objet de plusieurs observations négatives de la part des propriétaires de PME. De façon générale, ces derniers réclament des politiques et pratiques de prêt plus souples de la part des grandes institutions financières. Un sondage réalisé par la Fédération canadienne de l'entreprise indépendante [4] en 2003 révélait que les PME canadiennes paient 1,58 point de pourcentage au-dessus du taux préférentiel, toutes catégories de prêt confondues, alors que l'écart n'est que de 0,75 point pour les grandes entreprises. Cet écart serait encore plus important dans le cas des prêts à terme (+ 1,63 points) et de l'ouverture d'une marge de crédit (+ 1,66 points). Pour ce qui est des petites entreprises, l'écart moyen monte à 1,94 %. Les PME en région semblent encore plus défavorisées à cet effet. Le risque accru de ces emprunteurs justifie-t-il les écarts constatés?

Enfin, l'attitude des institutions envers leur clientèle laisse assez songeur puisque 25 % des dirigeants de PME qui se sont vu refuser un prêt n'ont reçu que peu d'information les aidant à amender leur dossier ou à s'orienter vers d'autres ressources. En fait, le service

---

4. FCEI, Communiqué du 7 octobre 2003, « Les PME sont insatisfaites des services offerts par les institutions », source : http://www.quebecpme.ca/Actualites/index.asp?article=2658.

des institutions financières serait de moins en moins personnalisé, malgré toutes les publicités qui affirment le contraire. Les frais de service qui se sont multipliés ces dernières années n'ont fait qu'augmenter l'insatisfaction de la clientèle.

L'importance de la formation dans les PME

Les entreprises sont également des lieux de formation et des acheteurs de formation. Au cours des dernières années, elles ont fait face à des pénuries de main-d'œuvre qualifiée. Cet état de fait les a obligées à embaucher des employés à qui elles ont dû fournir une formation, de manière formelle ou informelle, et cela, bien au-delà de l'intégration de nouveaux employés.

La Fédération canadienne de l'entreprise indépendante (FCEI) s'est penchée sur le sujet en 2003; le sondage réalisé à la fin de 2002 [5] fournit plusieurs détails pertinents en ce qui a trait aux activités de formation.

Bien loin devant les cours donnés en classe, les formations jugées les plus efficaces par les dirigeants d'entreprise sont le tutorat avec un autre membre du personnel et la formation individuelle avec un formateur.

Au Canada, 12 % seulement des PME n'offrent aucune formation, formelle ou informelle, à leurs employés. Ce pourcentage serait toutefois presque deux fois plus élevé au Québec et cela, en dépit de la politique incitative existante [6] qui exige qu'un montant équivalent à 1 % de la masse salariale soit investi en formation.

---

5. FCEI, DULIPOVICI, Andreea, analyste de recherche. « Les compétences en formation – Résultats des sondages de la FCEI sur la formation », 10 pages, mai 2003, 10 pages, source : http://www.fcei.ca/researchf/reports/training_2003_f.pdf.

6. Il s'agit de la Loi favorisant le développement de la formation de la main-d'œuvre, la Loi du 1 % qui s'applique aux entreprises dont la masse salariale est de 1 000 000 $ et plus (depuis janvier 2004).

Quand on examine les heures consacrées à la formation par les entreprises qui exercent des activités de cette nature, le Québec fait meilleure figure. Les entreprises d'ici offrent 104 heures de formation informelle et 22,4 heures de formation formelle par année à leurs employés. En comparaison, la moyenne canadienne se situe à 113,1 heures à la formation informelle et 23,4 heures à la formation formelle. L'Alberta se classe au premier rang avec respectivement 130,8 heures et 30,4 heures accordées à ces deux types de formation. En termes d'heures, l'écart semble donc moins important.

Un peu plus de la moitié des dirigeants canadiens reconnaissent que la formation est leur responsabilité et ils s'entendent majoritairement sur son utilité : dans un premier temps, la formation sert à intégrer rapidement les nouveaux employés et, dans un deuxième temps, elle sert à augmenter la productivité, à rendre l'entreprise davantage compétitive et à accroître les compétences des employés sous-qualifiés.

Lorsqu'on songe à l'avenir, les intentions de plusieurs sont encourageantes : 48 % envisagent d'accroître leur investissement dans la formation au cours des prochaines années. On aurait cependant aimé constater plus d'unanimité, étant donné l'importance des enjeux, surtout en ce qui a trait aux nouvelles technologies. À ce chapitre, les PME québécoises et canadiennes accusent un retard certain sur les grandes entreprises, même si la moitié des entreprises fabricantes ont investi en technologie et, dans certains cas, en technologie de pointe. D'ailleurs, pour celles qui l'ont fait dès le milieu des années 1990, des gains en productivité sont déjà observés.

Selon les résultats de ce même sondage, les gouvernements devraient réduire les charges fiscales et les impôts ou accorder des crédits d'impôt plus généreux pour inciter les dirigeants à investir davantage dans la formation. De l'aide accrue de la part du gouvernement et des institutions serait appréciée, de même qu'une véritable reconnaissance de la valeur de la formation informelle offerte par les entreprises. À cet égard, il n'est pas évident que les programmes ou les démarches de reconnaissance des acquis expérientiels et de l'apprentissage sur le tas aient jamais satisfait les attentes de leurs clientèles potentielles.

Les centres universitaires de recherche

Les centres universitaires et institutionnels de recherche pourraient se révéler une mine d'or pour les PME. Les universités jouent un rôle de premier plan dans la formation des dirigeants, dans la formation de la main-d'œuvre, dans celle des professionnels et des techniciens spécialisés. Présentement, nous assistons à l'émergence d'unités de recherche universitaires mises sur pied pour permettre d'approfondir notre connaissance des meilleures conditions de développement des PME. Outre la Chaire de développement et de relève de la PME à HEC Montréal, l'Université du Québec à Trois-Rivières, l'Université de Sherbrooke et l'Université Laval ont mis sur pied de tels centres.

Le présent ouvrage

Le présent ouvrage se situe dans la continuité du rôle que peuvent jouer les universités auprès des PME. Il présente des réflexions, des pratiques et des conseils tirés des travaux menés par des professeurs et des chercheurs d'université, assistés de nombreux partenaires sur la gestion des organisations. Nous espérons que ces chroniques pourront alimenter des réflexions et orienter des choix.

Nous souhaitons aussi que ces chroniques contribuent à stimuler l'enthousiasme des PME pour toutes ces possibilités qui leur sont offertes de mieux produire, d'obtenir de meilleurs résultats et d'en tirer du plaisir, de la satisfaction et une prospérité bien méritée.

1.
QUELQUES ENJEUX ACTUELS DES PME

Les PME d'aujourd'hui ont le monde pour horizon. L'image demeure inspirante : un défi à relever avec enthousiasme pour plusieurs, une réalité plutôt dure pour d'autres.

Les marchés sont plus vastes. L'exportation de produits de qualité est valorisant et lucratif. Mais pour relever les défis du coût de production, de la rapidité de la livraison et de la qualité du produit, le dirigeant d'une PME se doit de renouveler ses façons de faire et de repenser ses stratégies. La question principale qu'il doit constamment se poser est la suivante : l'approche que j'ai choisie est-elle vraiment la meilleure?

Dans ce contexte, le commerce de détail joue du coude et de l'épaule parmi des géants pour faire sa place... et la garder. Là où il peut exceller, c'est dans le service personnalisé ainsi que dans la connaissance du produit et des goûts de la clientèle qu'il cible avec précision.

Le Québec connaît de belles histoires de succès dont plusieurs sont signées par des femmes que les lois, les coutumes et les institutions ont gardé longtemps à l'écart des affaires. Compétences, réseaux d'affaires et négociations n'auront bientôt aucun secret pour elles.

Enfin, les pages des journaux ont accordé avec raison beaucoup de place aux questions d'éthique puisque des manquements graves, conscients et volontaires, ont causé préjudice à de nombreux travailleurs en plus d'ébranler la confiance des investisseurs.

D'où l'importance non seulement des compétences et des valeurs individuelles, mais aussi des normes établies par les ordres professionnels sur lesquelles la confiance peut s'établir.

Le dirigeant ne pourrait trop insister sur la qualité des membres du conseil d'administration de son entreprise.

Devant les investisseurs potentiels et le monde entier, chacune des PME porte sur ses épaules sa propre réputation et celle du Québec.

LA PME PLACÉE DEVANT DE NOUVEAUX DÉFIS
lundi 3 mars 2003
Joseph Kélada

Récemment, un président de PME me faisait part de sa frustration à l'égard d'une demande de soumission qu'il avait reçue pour un contrat de fabrication de pièces d'un montant fort important qu'il souhaitait vraiment décrocher. Mais le client exigeait un délai de livraison de deux semaines. Or, le temps de fabrication minimum de ces pièces était de trois semaines. Le président devait donc décliner cette demande. Quant au client en question, il avait de plus en plus de difficulté à trouver des fournisseurs capables de respecter ses délais de livraison. Situation exceptionnelle?

Non, les défis de cette nature sont toujours plus fréquents. Depuis environ trois décennies, le milieu des affaires connaît une révolution qui a commencé dans les années 70 par un choc pétrolier suivi d'une invasion des produits japonais. Les Japonais s'emparaient de près de 25 % de l'industrie américaine de l'automobile, de 50 % du marché de la General Motors et de plus de 60 % du marché des photocopieurs détenu par la multinationale Xerox.

Le secret du succès japonais? Des produits de qualité à des prix raisonnables. Pour réaliser ces deux objectifs, les Japonais appliquaient des pratiques comme le «juste-à-temps», des approches telles que la qualité totale et des techniques telles que le contrôle statistique de la qualité.

En quoi cela concerne-t-il nos PME? GM et Xerox ont des fournisseurs qui ont, à leur tour, des fournisseurs. Parmi ceux-ci, plusieurs sont des PME. Elles font partie de ce que l'on appelle la chaîne d'approvisionnement. Elles doivent être capables de livrer des produits de qualité, rapidement et au moindre coût, tout en faisant des profits. Est-ce là une mission impossible?

Non, pas si, à l'instar d'un nombre grandissant d'entreprises per-
formantes, elles appliquent un processus qui mise sur une gestion
efficace. Or, pour gérer efficacement une entreprise, il est nécessaire d'en comprendre le fonctionnement.

L'approche processus

Dans toute entreprise, on peut reconnaître un processus principal
allant de l'identification de ses clients et de leurs besoins au
paiement par ces clients du prix des biens ou services produits par
l'entreprise. Ce processus comprend plusieurs étapes dont la
conception des produits et des procédés, la prise de commandes,
l'évaluation du crédit des clients, l'achat de matières et pièces
nécessaires à la production, la production proprement dite, la
livraison des produits, le paiement par le client du prix du produit
et le service après-vente.

En examinant le fonctionnement de ce processus, on observe que :
– dans la majorité des entreprises, chacune des étapes de ce
  processus est confiée à un responsable différent : ventes, marketing, finance, achats, production, comptabilité, etc.;
– chacun de ces responsables a des objectifs spécifiques à réaliser
  (acheter, produire, expédier) et entretient peu ou pas de relations
  avec les autres responsables;
– en général, 80 % à 90 % (parfois plus) de l'ensemble des activités de ce processus sont sans valeur ajoutée.

Revenons au cas de l'entreprise du début qui devait refuser un
contrat lucratif parce que le délai de livraison exigé était plus court
que le temps de production. Dans ce cas précis, en faisant une
analyse détaillée des activités, de la prise de commandes à la livraison, et en utilisant certaines techniques qui permettent de réduire
le nombre des activités sans valeur ajoutée, comme la manutention
des matières et produits, des stocks et les temps de mise en route

des équipements de production, nous avons pu réduire significativement le temps total de livraison.

Et ce n'est pas tout. Comme le processus d'appel d'offres du client durait deux semaines et que ce dernier exigeait un délai de livraison de deux semaines, il s'écoulait quatre semaines entre le moment où le client signalait sa demande à ses fournisseurs et la livraison des pièces. Or, en organisant une rencontre entre le client et l'entreprise, les deux s'entendaient pour éliminer le processus d'appel d'offres, moyennant bien sûr certaines conditions. Cette étape éliminée, le client pouvait exiger un délai de livraison de trois semaines et il était encore en avance d'une semaine!

Ce cas est un bon exemple de ce qu'on appelle la gestion des processus. Non seulement on réduit le délai de livraison mais on diminue également les coûts relatifs à la prise des commandes et à leur traitement. Une proposition gagnante pour le client et pour le fournisseur.

Il est évident que pour obtenir de pareils résultats, des changements majeurs doivent être appliqués. Au sein de l'entreprise, tous doivent coopérer et travailler en équipe en se donnant des objectifs globaux à réaliser plutôt que des objectifs internes. De plus, les limites de l'entreprise doivent s'étendre et inclure plusieurs niveaux de partenaires, fournisseurs, distributeurs, clients. Ceux-ci doivent collaborer pour le bien de chacun des participants. C'est ce qu'on appelle la gestion de la chaîne d'approvisionnement [1].

Les PME font face à de nouveaux défis, entre autres parce que leurs clients augmentent toujours leurs exigences. Pour relever ces défis avec succès, elles doivent changer leurs façons de faire. Les dirigeants doivent être capables d'introduire de nouveaux concepts

---

1. Ouvrage de référence sur la gestion de la chaîne d'approvisionnement : KÉLADA, Joseph. *Operations Management : a Stakeholders Management Approach*, Quafec Publications, Pierrefonds, VI, III, 169 pages.

et techniques qui leur permettront d'être compétitifs. Ils doivent aussi être capables d'exercer un leadership éclairé pour convaincre leur personnel de la nécessité de travailler ensemble, comme une équipe ayant des objectifs communs.

Le juste-à-temps, la gestion de la qualité des produits et du service, l'adhésion des employés à des objectifs globaux et le travail en équipe sont les ingrédients d'une gestion efficace qui permet de figurer parmi les joueurs performants; la concurrence est internationale.

EXPORTER, CE N'EST PAS SORCIER MAIS...

lundi 11 novembre 2002

Antoine J. Panet-Raymond

Impossible de nos jours d'ignorer la mondialisation et ses conséquences. Le propriétaire de PME n'y échappe pas.

D'une part, la mondialisation favorise peut-être trop les multi-
nationales, ce qui signifie pour la PME une concurrence accrue et
la perte possible de marchés traditionnels.

D'autre part, la mondialisation offre de nombreuses occasions
d'affaires. Mais vendre sur les marchés étrangers a ses exigences et
la PME qui désire exporter doit savoir s'y prendre pour réussir.
Voici quelques conseils qui pourront servir de guide dans cette
aventure.

Il faut d'abord être prêt à exporter. Cela signifie être prêt à investir le temps nécessaire pour se préparer à pénétrer un nouveau
marché. Combien d'entreprises se découragent lors des premiers
problèmes éprouvés, par exemple lorsque les marchandises expé-
diées se trouvent soudainement bloquées à la frontière! Un peu de
planification peut éviter ces désagréments.

Certains entrepreneurs croient, à tort, que les marchés extérieurs
sont des débouchés rêvés pour écouler leur surplus d'inventaire.
Grave erreur! D'abord, l'opération risque de se révéler plus coûteuse que profitable. Ensuite, ces tactiques mettent en danger la
réputation du Québec et nuiront à tous à long terme, y compris à
l'entrepreneur lui-même. La clé du succès de l'exportation est de
planifier chaque étape avec soin et de connaître les intervenants
qui peuvent en faciliter le déroulement [1].

1. PANET-RAYMOND, Antoine; et Denis ROBICHAUD. *Le commerce international, une approche nord-
américaine*, Éditions de la Chenelière Éducation, Montréal, 2005-ISBN2-7651-0395-X.

En ce qui a trait à l'aide disponible, plusieurs PME se prévalent de l'information et des programmes gouvernementaux[2]. Le ministère du Développement économique et régional et Recherche du Québec (MDERR) offre le programme Impact PME[3]. Commerce international Canada (CICan) fait de même et soutient les activités d'Équipe Canada.

Des étapes à suivre

Voici quelques étapes de planification à suivre pour mieux réussir dans l'exportation.
1. Être bien établi dans son marché local, avoir une situation financière saine et surtout choisir l'exportation en tant que stratégie d'expansion.
2. Faire le point sur ses forces et ses faiblesses, puis connaître sa concurrence afin de s'en démarquer et d'offrir un produit ou un service meilleur avec des avantages concurrentiels précis. De plus, il faut évaluer objectivement son produit et s'assurer que celui-ci peut s'adapter à des normes différentes. Par exemple, un moteur électrique doit pouvoir fonctionner sur un courant de 220 volts si on désire l'exporter en Europe. Le produit doit aussi s'adapter à un contexte culturel différent, qu'il s'agisse d'étiquettes dans une langue différente ou même du design du produit.
3. Ne viser au départ qu'un seul marché et y consolider sa présence. Par la suite, un deuxième et un troisième marché peuvent être envisagés.
4. Étudier à fond le marché cible pour en déterminer la concurrence présente, le profil des clients visés, les barrières tarifaires

---

2. Pour en connaître davantage, consultez :
– MDERR : http://www.mderr.gouv.qc.ca/mderr/Web/portail/exportation;
– CICcan : http://www.dfait-maeci.gc.ca/trade/menu-fr.asp;
– Équipe Canada : http://www.tcm-mec.gc.ca/menu-fr.asp et http://exportsource.ca/gol/exportsource/interface.nsf

3. Ce ministère est devenu, en février 2005, le ministère du Développement économique, de l'Innovation et de l'Exportation.

(taxes douanières) et non-tarifaires (normes en vigueur dans le marché ciblé et autres obstacles à contourner). Les délégués du Québec et du Canada qui sont en fonction dans le marché visé peuvent vous y aider. En outre, l'exportateur doit visiter le marché ciblé lors d'une mission commerciale ou d'une foire dans le but de prendre connaissance sur place des particularités propres à l'endroit.

5. Choisir avec soin un canal de distribution approprié : plusieurs entreprises québécoises offrant des produits de consommation courante (produits alimentaires, cosmétiques, etc.) vendent leurs produits à un distributeur responsable de les revendre aux consommateurs ultimes. Le fabricant de produits industriels exporte par l'entremise d'un agent sur le marché extérieur qui sollicite la clientèle en retour d'une commission sur les ventes conclues.

6. Établir un prix concurrentiel en tenant compte des frais de transport, de douanes, du taux de change, etc.

7. Livrer la marchandise dans les délais promis.

8. Faire un suivi diligent avec ses nouveaux clients, ce qui implique de les visiter souvent pour mieux les connaître et s'assurer qu'ils sont satisfaits de leurs achats.

Chez le voisin et ailleurs

Les PME qui réussissent débutent la plupart du temps sur le marché américain. La proximité géographique et une certaine affinité culturelle facilitent ce choix. Mais peu importe le marché, il faut respecter la démarche proposée et ne pas sauter d'étapes.

Plusieurs entreprises telles que MAAX, à Sainte-Marie de Beauce, (fabricant de baignoires et de douches en fibre de verre), ou CORECO, à Montréal, (fabricant d'outils de vision informatisée) vendent leurs produits partout dans le monde. Leurs stratégies d'exportation ont été planifiées avec soin et l'approche appliquée était rigoureuse.

Il y a quelques années au Québec, nos instances gouvernementales répétaient aux PME que « exporter, ce n'est pas sorcier »! En effet, une approche de vente internationale est, en somme, l'application d'un plan marketing bien songé, mais – et c'est là la différence majeure – mise en œuvre dans un environnement économique, culturel et politique différent.

Le but de la PME exportatrice est toujours le même : satisfaire son client et s'assurer que les étapes à suivre sont franchies en toute connaissance de cause. En adoptant une approche méthodique, les difficultés sont plus facilement décelées et contournées.

L'entreprise qui désire vendre ses produits à l'étranger doit être prête à exporter et à investir les énergies nécessaires pour réaliser sa stratégie d'exportation.

Il faut absolument connaître les politiques de vente de ses concurrents présents sur les marchés étrangers visés afin de pouvoir s'en distinguer.

LE COMMERCE DE DÉTAIL : UN SPORT EXTRÊME

lundi 21 octobre 2002

Jacques Nantel

In medio stat virtus ou, si l'on préfère « la vertu est éloignée des extrêmes ». Si cette locution latine est fort utile lorsque vient le temps de guider nos comportements, nous incitant ainsi à vivre une vie équilibrée et sans excès, elle ne saurait convenir au positionnement des commerces de détail et en particulier des PME de ce secteur.

Depuis déjà une vingtaine d'années, les paysages canadien et québécois en matière de commerce de détail se sont métamorphosés. À elle seule, l'arrivée de Wal-Mart a complètement changé la donne.

Les marchés n'étant plus en expansion, toute implantation se fait généralement aux dépens des joueurs déjà en place. Terrifiés à l'idée que leur entreprise puisse être affectée par la venue de nouveaux joueurs, et il y en aura d'autres, beaucoup de commerçants paniquent devant la nécessité d'affronter une concurrence toujours plus musclée.

Pourtant, il s'agit de la toute première règle de ce jeu souvent impitoyable qu'est le commerce. Encore faut-il savoir y jouer.

Pour ce faire, il importe de bien comprendre ce qu'est le positionnement stratégique d'un commerce de détail.

De façon générale, il existe deux façons de générer des revenus. La première consiste à vendre des produits en gardant de faibles marges, ce qui normalement doit permettre de vendre à bas prix si l'on contrôle bien ses approvisionnements. Ces bas prix devraient en retour permettre d'attirer davantage de clients, de sorte que les revenus et la profitabilité viendront d'un nombre important de transactions. Voilà le positionnement des magasins à escompte. C'est en bonne partie de là que sont venus les nouveaux concurrents tels que Wal-Mart, Costco, Home Depot, etc. Pour jouer dans cette ligue, on ne peut se permettre de demi-mesures.

Comme les revenus sont alors tributaires du volume de transactions, lui-même dépendant de la capacité à offrir des bas prix, il n'y a qu'une seule stratégie possible, celle du *Think Big*, comme disait Elvis Gratton.

L'autre façon de générer un revenu suffisant consiste à vendre ses produits avec des marges plus importantes. Cependant, pour ce faire, on doit être prêt à offrir aux consommateurs des produits de meilleure qualité, un service accru et souvent un suivi plus personnalisé.

Dans ce genre de commerces, comme les prix sont généralement plus élevés, le potentiel de clientèle sera réduit. Il devient alors impératif de bien cibler la clientèle que l'on souhaite acquérir.

Il faut savoir qu'on ne peut se permettre de viser tout le monde. Comme ces commerces requièrent une connaissance plus fine des consommateurs, ils offrent habituellement un avantage aux commerçants locaux qui, eux connaissent bien leur clientèle.

C'est ainsi que de nombreux entrepreneurs ont réussi à monter et à faire prospérer des commerces rentables au Québec. C'est le cas des restaurants Cora, des boulangeries Première Moisson ou encore des boutiques Dans un jardin.

En un mot, pour être prospère, un détaillant doit choisir. Ou bien on vise la masse et on joue les économies d'échelle, ou alors on vise une clientèle plus ciblée et on investit dans un concept à valeur ajoutée. Entre les deux, peu de salut.

À proscrire donc, les Club baignoires ou les Rois de l'entrepôt qui n'ont la capacité de tenir commerce que sur de petites surfaces. Ces concepts, s'ils ne sont pas encore disparus, sont dans une situation précaire. De même, les petites et moyennes surfaces qui offrent, souvent à prix plus élevés, les mêmes produits que ceux offerts en grandes surfaces, sont tout aussi menacées.

Le commerce de détail est devenu en quelque sorte un sport extrême. Et beaucoup de nos commerçants excellent à ce sport, que ce soit en grande ou en petite surface. Par exemple, les pharmacies Jean Coutu ont réinventé le concept de la pharmacie. Les librairies Renaud Bray sont aussi un exemple éloquent. Alors que de gros joueurs tels que les Costco, Maxi et cie ou Zellers offrent de plus en plus de publications, la valeur ajoutée qui est offerte dans ces librairies fait en sorte qu'elles gagnent du terrain.

Et de tous nos détaillants, celui qui est devenu un maître dans l'art de jouer à ce sport extrême est possiblement RONA. Saisissant bien l'opportunité d'offrir plus d'un type de magasin, les dirigeants de cette entreprise ne se sont pas acharnés à n'offrir qu'une seule formule et ne se sont pas contentés d'un seul segment.

Ils ont plutôt conçu et développé une variété de concepts qui leur a permis d'obtenir une croissance annuelle moyenne de leur chiffre d'affaires et de leur bénéfice de près de 25 % depuis cinq ans. Allant des Rona l'Entrepôt aux Rona l'Express, en passant par les Rona le Rénovateur, cette entreprise a compris qu'en matière de commerce de détail, il ne faut pas toujours suivre les sages enseignements des locutions latines!

Exploiter un commerce de détail demande de bien camper sa stratégie. Les demi-mesures en cette matière feront plus de tort que de bien.

Une fine connaissance d'une clientèle précise et un concept à valeur ajoutée sont à la base d'un type de stratégie qui avantage souvent les commerçants locaux.

LES FEMMES ENTREPRENEURES : DES DÉFIS PARTICULIERS?

mardi 22 avril 2003

Louise St-Cyr

Si l'on en croit les statistiques tirées du dernier recensement de la population en 2001, l'entrepreneurship a connu une croissance phénoménale au Québec depuis les 20 dernières années. Le nombre d'entrepreneurs [1] est passé de 230 000 en 1981 à 376 000 en 2001, ce qui représente une croissance de 635 %.

À qui est attribuable cette remarquable performance? Surtout aux femmes! Leur nombre a augmenté de 213 % au cours de cette période, celui des hommes de 32 %.

Comment expliquer une telle croissance de l'entrepreneuriat féminin? Tout d'abord, il faut reconnaître qu'il s'agit d'un phénomène de rattrapage, car même si les femmes entrepreneures sont plus nombreuses en 2001 qu'en 1981, elles ne représentent que le tiers des entrepreneurs au Québec.

Comme la participation féminine au marché du travail est presque identique à celle des hommes, il est raisonnable de croire qu'il en sera éventuellement de même pour la proportion de femmes entrepreneures. D'ici là, leur nombre croîtra plus vite.

Au-delà des motifs évoqués par tous les entrepreneurs, hommes ou femmes, pour se lancer en affaires (accomplissement de soi, besoin de gagner sa vie, etc.), certains facteurs sont spécifiques aux femmes et concourent donc à cette poussée phénoménale.

---

1. Le terme entrepreneur comprend les employeurs et les travailleurs autonomes.

Par exemple, la présence grandissante des entreprises de services, secteur privilégié par les femmes, est un de ces facteurs. La possibilité de concilier plus facilement le travail et la famille lorsque l'on est son propre patron et le plafond de verre, c'est-à-dire la difficulté d'accéder à des postes supérieurs dans les organisations, en sont deux autres.

Deux défis particuliers

La présence des femmes entrepreneures s'étant accrue considérablement, il est légitime de s'interroger sur la facilité avec laquelle elles s'organisent. Deux défis sont souvent mentionnés dans les écrits sur l'entrepreneuriat féminin : le financement et la fréquentation des réseaux d'affaires.

Premier défi : le financement. S'il est vrai qu'il n'est facile ni pour les hommes ni pour les femmes, certaines recherches menées sur le financement des femmes en affaires ont démontré qu'y accéder s'avère encore plus difficile pour elles. Le nombre de refus de leurs prêts est plus élevé que celui des hommes et les conditions qui leur sont proposées sont moins avantageuses : taux d'intérêt demandé supérieur et garanties exigées plus importantes.

Ces constatations ne s'expliquent pas facilement et les études qui ont tenté de les comprendre se contredisent. Certaines ont conclu que les entreprises des femmes présentent un risque supérieur, notamment en raison du plus jeune âge des entrepreneures, de leur manque d'expérience, du secteur d'activité (plus souvent des services) et de la taille de l'entreprise, ce qui justifierait un traitement différentiel.

Pourtant, d'autres recherches réalisées avec des méthodologies et des échantillons différents, ont illustré que, même en tenant compte de toutes ces caractéristiques, des écarts négatifs subsistent et que les femmes sont traitées trop sévèrement par les institutions financières.

Pour ajouter au paradoxe, soulignons que plusieurs recherches ont indiqué que le taux de survie des entreprises des femmes est supérieur à celui des entreprises des hommes, que leur rentabilité est équivalente et qu'elles paient leur compte dans des délais semblables.

Voilà qui devrait rassurer les banquiers quant à leur capacité de s'acquitter de leurs obligations financières!

Deuxième défi : le réseautage. Une recherche récente effectuée auprès de plus de 300 entrepreneures québécoises faisant affaire principalement dans le secteur manufacturier, révèle que seulement 48 % d'entre elles sont membres d'un réseau d'affaires. Leur taux de fréquentation des réseaux est encore plus faible : 38 %.

Quand on leur demande pourquoi elles utilisent si peu cet outil de développement précieux, la majorité répond que c'est par manque de temps. Les activités de réseautage ont souvent lieu en début et en fin de journée, c'est-à-dire au moment où les femmes qui ont des responsabilités familiales éprouvent de la difficulté à dégager du temps. Puisque les femmes sont plus nombreuses à assumer des responsabilités familiales, il appert qu'elles subissent un véritable désavantage à cet égard.

Les femmes en affaires ne devraient pas oublier les deux points suivants. D'abord, au moment d'entreprendre une démarche de financement, il importe non seulement de monter un dossier complet, mais aussi de se préparer à négocier ferme pour s'assurer d'obtenir les conditions auxquelles on est en droit de s'attendre. Lorsqu'on les a consultés, les responsables de compte des institutions financières ont mentionné que les demandes des femmes sont en général bien étoffées, mais qu'elles auraient avantage à développer leurs habiletés de négociation et à ne pas jeter la serviette trop rapidement.

Finalement, les femmes doivent considérer la fréquentation des réseaux comme essentielle autant pour le développement des affaires que pour l'information et le soutien qu'ils procurent. Le réseau permettra, certes, de se faire connaître et d'élargir la base de clientèle, mais il donnera aussi l'occasion d'apprendre à qui s'adresser, par exemple, pour obtenir le nom de responsables de compte qui sont bien disposés envers les entreprises de la nouvelle économie. Et il ne faut pas oublier que le réseautage n'est pas à sens unique. Plus on y investit, plus on en retire.

Il ne suffit pas de soigner le contenu de sa demande de financement, il faut aussi se préparer à la défendre.

Différents réseaux répondent à différents besoins. Il est peut-être souhaitable d'en fréquenter plusieurs. Mais attention de ne pas s'éparpiller.

Un réseau doit convenir à son style personnel.

UN CONSEIL D'ADMINISTRATION : POURQUOI... ET POURQUOI PAS?

mardi 15 octobre 2002

Alain Noël

Au moins trois raisons sont fréquemment données par les propriétaires de PME pour ne pas se doter d'un conseil d'administration : ça coûte cher, la prise de décision s'en trouve alourdie et les propriétaires doivent rendre des comptes à des inconnus.

Les trois excuses sont à la fois vraies et fausses.

Lorsqu'on décide de mettre sur pied un conseil d'administration, c'est pour mieux faire. C'est un peu comme aller chercher une reconnaissance ISO. Un bon conseil est une façon d'améliorer la qualité de sa gestion et de le faire savoir à tous ses partenaires : employés, financiers, fournisseurs et clients.

Pour avoir un conseil utile, il faut y attirer des gens compétents. Si bon nombre de personnes expérimentées font souvent du bénévolat pour de grandes causes, aider une entreprise à se développer et à mieux réussir n'est pas en soi une cause assez noble pour justifier la gratuité du temps qu'on y consacre.

Être membre d'un conseil d'administration impose des obligations légales à celui qui accepte cette nomination. Par exemple, en cas de non-respect des lois fiscales ou environnementales ou de certaines obligations salariales, les membres de conseils peuvent être personnellement poursuivis. Il y a donc des risques à devenir administrateur et, en affaires, le risque doit être rémunéré et assuré.

Les personnes compétentes sont aussi très sollicitées : elles font donc des choix. Une rémunération minimale sert généralement à départager les PME qui les écouteront, parce qu'elles paient pour leurs conseils, de celles qui se serviront d'elles comme simples parures.

Un conseil de qualité qui inclut de trois à cinq membres externes à l'entreprise coûtera facilement l'équivalent d'un poste de cadre supérieur. Il faut payer aux membres externes des jetons de présence et des frais de déplacement. À cela, s'ajoutent les frais de quatre à six réunions par an, de confection de dossiers et d'assurance responsabilité. Votre conseil se dotera rapidement de comités de vérification et de ressources humaines qui contribueront à ces frais, mais aussi à une bien meilleure gestion de votre entreprise.

Le travail des membres d'un conseil d'administration ressemble un peu à celui des jurés dans un procès : ils écoutent les dépositions des dirigeants, leurs plaidoiries, remettent en question la preuve déposée et formulent des résolutions. Ce n'est pas sur la seule base d'une connaissance intime de l'entreprise qu'ils encadrent leurs grandes décisions, mais largement en référence à des problèmes comparables auxquels ils ont fait face dans d'autres situations.

Il est certain que le processus décisionnel est alourdi par les efforts mis à convaincre un groupe de personnes critiques qui connaissent l'entreprise moins bien que ses cadres. Par contre, une fois l'exercice complété avec succès, la PME y regagne en étant mieux préparée pour faire face à tous ses interlocuteurs et partenaires.

Une des premières et des grandes difficultés éprouvées par les PME est la gestion des dossiers à soumettre à son conseil. Choisir les bons, bien les préparer, anticiper les questions qui seront posées, produire des analyses, des budgets et des plans en juste quantité, voilà qui alourdit les premières rencontres. Établir un ordre du jour équilibré pour couvrir les bons sujets dans un temps raisonnable s'apprend, tout comme savoir animer les débats.

Le propriétaire de la PME se trouve souvent démuni dans son nouveau rôle de président du conseil, car cela modifie aussi ses tâches entre les rencontres. Le PDG doit ainsi accepter de passer plus de temps à préparer ses dossiers et ses réunions et par conséquent s'éloigner des opérations courantes. Il s'avère éclairé de choisir au moins un administrateur chevronné comme membre de son conseil. S'en servir comme mentor devient alors une condition de son utilité et de sa performance.

Enfin, un bon conseil va s'attendre à ce que ses recommandations soient respectées. Il exigera de la direction qu'elle lui rende compte de sa gestion. Il empêchera certaines transactions, limitera vos marges de manœuvre et vous poussera à l'amélioration. Un conseil contrôlera votre rémunération et celle de vos coéquipiers, il encadrera la progression de vos principaux collaborateurs et se préoccupera de la relève à la direction.

C'est tout ce processus de contrôle externe qui rassurera vos partenaires.

Constituer un bon conseil d'administration devient donc d'autant plus important qu'il est responsable de vos actes et de votre performance aux yeux des tiers. Il faut éviter du mieux possible les membres de la famille, les employés ou les amis : vous ne voudrez pas qu'ils vous jugent. Des inconnus poseront moins de problèmes et viendront équilibrer l'influence certaine de vos proches.

Entourez-vous donc de professionnels qui ne sont pas non plus vos fournisseurs, mais de personnes qui seront fières d'écrire dans leur CV qu'elles sont administrateurs de votre entreprise pour la qualité des défis à y relever et des personnes avec qui elles siégeront, pour le sérieux que vous accorderez à leurs conseils et décisions ainsi que pour la richesse de l'expérience qu'elles vont y acquérir.

D'abord un regroupement de compétences, le
conseil d'administration est voué à la croissance
d'une entreprise.

Choisissez ses membres avec soin.

Considérez-le comme un investissement.

LA PME PAIERA-T-ELLE LA NOTE DES SCANDALES FINANCIERS?

lundi 14 avril 2003

Jacques Fortin

Même si les scandales financiers de la dernière année étaient le fait de grandes sociétés, nos PME pourraient en payer le prix.

Déjà, la méfiance des investisseurs a modifié le coût de l'argent. Bien que les taux d'intérêt aient peu augmenté, le plafond du financement disponible pour une PME, lui, est atteint plus rapidement. C'est le prix de la baisse de confiance dans la valeur des garanties et du bénéfice.

Plusieurs projets d'expansion fondés sur l'appel public à l'épargne ont dû passer leur tour tellement la valeur marchande des titres de propriété a fondu. C'est le prix de l'effondrement des cours de titres cotés davantage sur la foi d'anticipations irréalistes que sur de réelles performances et la conséquence de systèmes de rémunération qui incitaient les dirigeants à gérer davantage leurs intérêts que ceux de leurs actionnaires.

Paradoxalement, si la comptabilité a participé aux scandales, elle participera aussi à la restauration d'un climat propice aux affaires.

Retenons toutefois qu'au Canada, l'essentiel de la perte des investisseurs tient au dégonflement des anticipations et non aux manipulations comptables.

On ne compte plus les entreprises dont la valeur au marché n'avait rien à voir avec leurs résultats financiers. Quoi qu'on en dise, la comptabilité dont les paramètres se sont développés au cours de siècles d'observation, demeure l'outil incontournable de l'appréciation du risque et du rendement.

On l'avait oublié, on est rappelé à l'ordre. Les conseils d'administration, davantage sur leurs gardes maintenant, les institutions financières, les sociétés de capital-risque et de gestion chercheront à se couvrir en recourant davantage à la composante la plus objective de la communication des dirigeants : les états financiers et les utilisateurs seront sensibles à leur rigueur.

La comptabilité créative est à l'agonie. L'heure est au respect des normes. Les opérations commerciales juridiquement travesties dans le but de contourner les règles pour améliorer le bénéfice ou les ratios de sûreté seront mal accueillies. C'est le comptable sévère qui sera respecté. Les milieux comptables en sont conscients. Ils sont aussi conscients qu'en accordant plus d'importance aux états financiers, les décideurs leur font porter davantage de risques.

Plusieurs sont à revoir leurs pratiques. Ils seront encore plus prudents lorsqu'ils exerceront leur jugement pour décrire une situation. La mesure des garanties statutaires, les pratiques de reconnaissance des revenus, les éventualités, la conformité aux lois, la mesure des écarts d'acquisition donneront lieu à des redressements qui auront un impact négatif sur les résultats.

Alain Bertrand, contrôleur dans une PME, me demandait d'arbitrer un différend qui l'opposait à son vérificateur. Ce dernier refusait de reconnaître ses gains sur travaux en cours. Chacun alignait d'excellents arguments pour justifier sa position. La décision de reconnaître le bénéfice sur les travaux en cours se situerait à la limite de l'interprétation des règles.

J'ai recommandé à Alain d'accepter la position du vérificateur sachant que le quart du bénéfice de la période allait être effacé. En revanche, il solidifiait le bénéfice tout en diminuant son risque et celui des administrateurs. L'impact de cette décision serait neutralisé dès l'exercice suivant. Elle se prenait à un moment où ces redressements, essentiels pour reconstruire la confiance, seront nombreux, donc moins importants pour les analystes. Attention toutefois aux excès de prudence.

Alain subissait le premier contrecoup de l'accroissement du risque de vérification qui résulte du climat de suspicion actuel. Le second lui arrivera avec la facture de son vérificateur. Couvrir un risque de vérification plus important suppose des analyses plus poussées et des coûts d'assurance responsabilité plus élevés. On paiera davantage pour la vérification, tout en sachant qu'il s'agit d'un service essentiel à l'équilibre des marchés et non d'un mal nécessaire.

Robert Côté, entrepreneur retraité, me confiait être convaincu qu'il devait une partie de la plus-value encaissée à la vente de son entreprise à ses états financiers prudents et à la vérification qu'il s'imposait même si rien ne l'y obligeait. Indépendance et rigueur étaient exigées de son vérificateur.

Indépendance et rigueur... ces mots reviennent aussi avec Raynald Deslandes, un vérificateur de 38 ans d'expérience en PME. Ils définissent son comportement et les attentes des conseils d'administration qui le mandatent.

Raynald analyse avec circonspection l'impact sur son indépendance des mandats hors vérification qu'on lui propose et consacre plus de temps à expliquer les états financiers et sa stratégie de vérification aux administrateurs de ses clients. Ces derniers exigent de comprendre ce que contiennent les états financiers et insistent pour que ceux-ci offrent une juste représentation des risques.

Tous reconnaissent que les compétences en gestion et en comptabilité comptent parmi les critères de sélection des administrateurs de sociétés. Pour les attirer, cultivons la transparence, écoutons-les, maintenons scrupuleusement les procès-verbaux des assemblées et offrons-leur une couverture d'assurance appropriée.

Si la tendance se maintient, la gouvernance sera davantage éclairée et attentive, l'information financière plus rigoureuse et crédible, les décisions seront fondées sur la performance réelle, la confiance sera durable, le coût du capital diminuera, le rendement sera partagé équitablement et, encore une fois, on pourra dire qu'à quelque chose, malheur est bon.

Comme ce fut le cas à plusieurs reprises au cours de l'histoire, les scandales financiers récents ont une fois de plus rappelé à l'ordre ceux et celles qui mettent en doute la comptabilité comme instrument de mesure de risque et de rendement.

Il y a donc fort à parier que le travail comptable sera dorénavant plus fouillé et donc plus onéreux. En revanche, les décisions qui s'appiueront sur sa base gagneront en qualité et en rentabilité.

2.
REJOINDRE LE CLIENT

Le client – ne l'a-t-on pas déjà dit? – a toujours raison. On l'attire par les oreilles – sans les lui tirer, bien sûr – et on le séduit par les odeurs, ce qui est une manière gentille de le mener par le bout du nez jusqu'aux produits qu'on a développés avec soin pour lui et qui sont le fruit d'intenses et parfois coûteuses recherches.

Une fois conquis, comme en amour, il serait sage de ne rien tenir pour acquis et de le fidéliser en lui donnant le goût de revenir, encore et encore. Un art véritable!

Quand le client ose se plaindre, c'est un authentique cadeau. Non seulement faut-il lui rendre justice, mais aller bien au-delà en tirant des leçons de l'insatisfaction qu'exprime le client pour améliorer le produit, mieux gérer le processus de gestion des plaintes et raffiner les relations entre les vendeurs et les clients.

Peut-être faudrait-il repenser la structure et le rôle des équipes de production et les centrer sur un objectif bien défini : la satisfaction du client. Les clients insatisfaits et coincés irradient le mécontentement.

Pour rejoindre le client et mettre un produit en marché, la plus petite entreprise peut tirer profit de l'expérience des grands. Ce client est aujourd'hui issu de cultures diverses qu'il faut savoir aborder. Cette population riche en goûts et traditions a regarni l'étal de l'épicier du coin, par exemple.

La bonne disposition du dirigeant, sa propre culture et sa curiosité sont d'excellentes conseillères; ces mêmes atouts ont été productifs pour mieux cerner les besoins des enfants des *baby-boomers*. Cette génération – dont les représentants sont presque nés consommateurs – est individualiste et expressive; elle n'hésite pas à transgresser les habitudes et les codes quand elle y voit son profit.

LANCER UN NOUVEAU PRODUIT N'EST PAS UNE SINÉCURE

lundi 28 octobre 2002
Pierre Balloffet

Sur la base d'un effort d'innovation constant, le développement de nouveaux produits suivi de leur lancement constitue sans doute l'une des clés essentielles de la réussite de toute entreprise.

Une étude réalisée dans les années 90 par le Marketing Science Institute, démontrait que, tous secteurs confondus, plus du quart des revenus générés par les entreprises trouvait sa source dans la commercialisation de produits introduits depuis moins de trois ans. Aujourd'hui plus que jamais, sur les marchés, la nouveauté fait loi!

Si chacun est prêt à reconnaître l'importance de l'innovation, les gestionnaires sont également bien conscients du revers de la médaille : le lancement de nouveaux produits est une activité risquée pour laquelle les taux d'échec lors de l'introduction sur le marché demeurent toujours importants (de 30 à 50 %). Les études de marché et les tests préalables au lancement ont pour objectif de réduire ce haut niveau d'incertitude.

Les études de marché accompagnant le lancement d'un nouveau produit comportent essentiellement deux phases qui se succèdent. D'abord, il s'agit de déterminer les compétiteurs potentiels et la catégorie dans laquelle s'inscrit l'innovation. Ensuite, on s'intéressera aux comportements et aux attentes des consommateurs relativement à cette catégorie. Cela nous conduira à raffiner la solution-produit offerte, à mieux la positionner sur le marché et, très concrètement, à mieux en apprécier le potentiel réel en termes de ventes ou de profit. Les tests de marché sont là pour nous permettre de mieux estimer encore ce potentiel.

De nombreuses sources sont à notre disposition afin de mener à bien ces études : données secondaires (des données déjà disponibles, proposées par différents instituts ou organismes), données primaires (c'est-à-dire collectées aux fins mêmes du lancement en question) qui peuvent provenir de sondages auprès des consommateurs ou des distributeurs. Ces derniers ne doivent pas être négligés puisque, au cours de leurs activités quotidiennes, ils centralisent une grande partie de l'information sur les marchés et en ont souvent une très bonne vision.

Quand il est encore temps...

Le développement d'un nouveau produit est un processus qui comporte de multiples étapes, depuis la génération d'idées, en passant par la recherche de solutions techniques puis l'élaboration de premiers modèles, jusqu'à l'obtention du produit définitif et sa commercialisation. Le schéma de la page 48 présente la séquence de ce développement, depuis la génération d'idées jusqu'au lancement.

L'étude de marché devrait se situer en amont ou, pour le moins, accompagner de façon très étroite chacune des étapes du développement. N'oublions pas que plus la décision de non-lancement arrive tardivement (du fait d'un potentiel trop faible de marché, par exemple) et plus les coûts à assumer par l'entreprise sont importants.

Les études démontrent que seul un nouveau produit sur sept parviendra jusqu'à la phase de commercialisation. En moyenne, près de 50 % des ressources consacrées aux nouveaux produits sont perdues en raison de l'arrêt du développement ou d'un échec lors du lancement.

Lorsqu'il est trop tard...

S'engager dans une démarche d'études au moment de l'intro-duction d'un nouveau produit est un exercice difficile avec des résultats plus qu'incertains.

Une phase d'études tardive ne peut que retarder le moment de l'introduction du produit sur le marché, ce qui expose l'entreprise aux possibles initiatives de la concurrence (le lancement d'un nouveau produit dans un même créneau que le nôtre, par exemple) et représente des coûts d'opportunité réels (les revenus attendus de la commercialisation du nouveau produit se trouvant différés). Ces coûts sont d'autant plus lourds à supporter que l'effort de recherche, puis de développement, correspond, dans la plupart des cas, à un investissement non négligeable.

Soulignons que l'avantage compétitif d'une entreprise aujourd'hui, comme le leadership qu'elle souhaite possiblement exercer dans son secteur d'activité, réside en grande partie dans sa capacité à imposer, de façon très dynamique, son propre tempo au marché. Le temps devient donc une variable centrale au succès d'affaires. Il ne s'agit pas seulement d'introduire de nouveaux produits ou des générations successives de produits déjà bien en place sur le marché, il s'agit de pouvoir le faire plus rapidement que ses concurrents, tout en atteignant ses objectifs financiers.

Ce qui importe alors, c'est non seulement de bien connaître ses consommateurs, mais aussi de parvenir à intégrer cette connais-sance sans délai afin que les meilleures décisions soient prises le plus rapidement possible tout en étant bien conscient qu'une décision de lancement de produit est toujours un pari et qu'elle comporte une part de risque inévitable. En 1991, alors que les manufacturiers japonais d'automobiles parvenaient à compléter l'ensemble du processus de lancement de leurs modèles en 43 mois, les manufacturiers européens et américains devaient, pour leur part, composer avec des délais supérieurs à 62 mois; un frein compétitif majeur!

Ainsi, puisque le succès d'un nouveau produit dépend en définitive de l'effort de multiples acteurs, les études de marché et les tests avant lancement doivent impliquer l'ensemble des partenaires de manière suivie et précoce (dès les premières étapes du développement, donc bien avant celle de commercialisation à proprement parler).

En ce qui concerne l'estimation du potentiel de marché ou la détermination de la stratégie de commercialisation, le recours à une expertise extérieure peut être précieux si elle est accompagnée d'un réel engagement de la part du partenaire qui en viendra ainsi à partager les risques inhérents au développement, puis au lancement du nouveau produit.

Sonder ses distributeurs, interroger ses fournisseurs ainsi que l'ensemble de ses partenaires, c'est aussi les impliquer dans ce processus et construire un succès sur la base du partage de risques et d'intérêts communs.

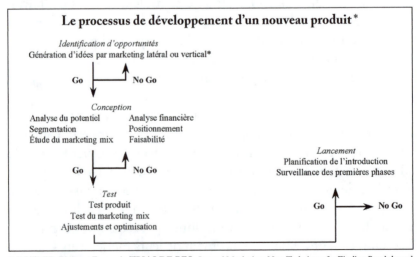

Le processus de développement d'un nouveau produit *

Identification d'opportunités
Génération d'idées par marketing latéral ou vertical*

Go — No Go

Conception
Analyse du potentiel   Analyse financière
Segmentation   Positionnement
Étude du marketing mix   Faisabilité

Go — No Go

Test
Test produit
Test du marketing mix
Ajustements et optimisation

Lancement
Planification de l'introduction
Surveillance des premières phases

Go — No Go

* KOTLER, Philip et Fernando TRIAS DE BES, *Lateral Marketing: New Techniques for Finding Breakthrough Ideas*, John Wiley & Sons Canada, Ltd., 2003, 206 p.

Un produit sur sept atteint la phase de
commercialisation.

Plus la décision de non-lancement du produit arrive
tardivement dans le processus, plus importantes
seront les pertes.

Développer un nouveau produit, c'est prendre
un risque. Mais ce risque peut être géré si l'on
respecte bien toutes les étapes du processus et
si l'on agit avec diligence.

LA MUSIQUE N'EST PAS MAGIQUE :
SES EFFETS SONT RÉELS

lundi 23 septembre 2002
Jean-Charles Chebat

Vous est-il déjà arrivé d'accompagner votre ado dans un magasin où la musique vous retient sur le seuil alors que votre jeune se précipite à l'intérieur, irrésistiblement attiré par les sons? La musique de fond représente un élément clé de la segmentation des marchés et de l'image des magasins qui est trop souvent laissé de côté et sous-évalué sur le plan stratégique.

La gestion d'un commerce de détail exige de tenir compte de plusieurs facteurs influençant les personnes qui les fréquentent, tels que les odeurs ainsi que les effets visuels et sonores. La musique constitue l'une de ces stratégies commerciales. C'est pourquoi de nombreuses études ont mis en évidence les effets de la musique de fond sur l'atmosphère des magasins de même que le comportement des employés et celui des clients.

La musique a réellement plusieurs types d'incidence et nous vous proposons ici de les observer.

Tout d'abord, examinons son effet sur les employés. La musique accroît leur intérêt et leur attention vis-à-vis de leur tâche : plus la musique leur est familière, plus ils sont vigilants.

Le tempo de la musique influe sur les processus d'attention des employés : la musique calmante, à la fois lente et agréable, les aide à concentrer leur attention sur une tâche et à ne pas se laisser distraire, ce qui accroît la productivité.

De même, la musique améliore leur moral, leur satisfaction au travail, la quantité et la qualité du travail produit et, éventuellement, les profits. De nombreux gestionnaires savent intuitivement qu'une musique de fond appropriée a un effet calmant durant les périodes où l'activité dans leur magasin est très élevée; une bonne musique de fond avec un bon tempo peut contribuer à rendre les employés plus actifs sans pour autant qu'ils ne deviennent agressifs.

Évidemment, la musique touche également les clients en agissant sur leur état émotionnel, leur attention, leurs perceptions et leur consommation. Le volume et le tempo musical peuvent modifier les émotions des consommateurs. Quand ils sont exposés au tempo rapide de la musique, ils ressentent plus de plaisir à magasiner et ils sont aussi davantage stimulés.

Inversement, une musique de fond calmante (caractérisée par un tempo lent) augmente l'attention du consommateur au discours des vendeurs et réduit les distractions créées par les bruits environnants.

Le choix du tempo a donc une incidence marquante sur le comportement du consommateur en magasin. Si l'objectif est de créer une ambiance distrayante qui oriente l'attention sur sa propre humeur positive et non sur le produit, le tempo rapide est idéal.

Par contre, si le consommateur est appelé à faire des choix importants sur des produits coûteux ou complexes, le tempo lent est ce qu'il faut rechercher.

La musique a également un impact significatif sur les préférences au moment des choix en magasin. Une marque ou un produit associé à une musique agréable sera perçu plus favorablement par les consommateurs. Une musique désagréable aura l'effet contraire. Une étude très récente réalisée auprès des clients d'un centre commercial montréalais a démontré que la musique améliore la perception de la qualité des services reçus.

La musique agit également sur la perception du temps d'attente. Le temps est devenu une composante majeure de la satisfaction dans le domaine des services. Un nombre croissant de consommateurs perçoivent leur temps comme étant de plus en plus précieux et conçoivent même des stratégies pour l'économiser. L'attente générant du stress, elle constitue pour le moins un obstacle aux bonnes conditions de magasinage.

Or, une musique choisie adéquatement augmente la bonne humeur des clients et contribue à modifier leur perception du temps d'attente. Ainsi, le temps passé à magasiner semble plus court si la musique est adaptée à l'âge (la musique à volume élevé pour les clients plus jeunes et inversement pour les clients plus âgés).

En fait, la musique n'est pas qu'un simple élément marginal de l'environnement du magasin : c'est un outil efficace pour limiter les conséquences négatives de l'attente.

Saviez-vous qu'un bon choix de musique contribue à augmenter les ventes, jusqu'à 17 % selon certains?

La musique agit sur l'attraction entre clients et employés. La musique calmante favorise les échanges. Les clients d'un restaurant exposés à une musique lente finissent leur repas moins rapidement, acceptent d'attendre plus longtemps à leur table et consomment davantage (30,47 $US plutôt que 21,62 $US). Une étude réalisée dans un supermarché a révélé que le flot des clients est plus lent et que leurs achats augmentent de 38 % quand la musique de fond est plus lente.

Dans les faits, les recherches concluent que la musique a davantage d'incidence que des facteurs de design tels que la couleur ou la disposition des marchandises. Une musique classique bien choisie, par exemple, peut créer une atmosphère prestigieuse, et les clients en déduiront que la marchandise et les services offerts sont supérieurs.

L'élément clé est évidemment de savoir quelle ambiance le gérant de magasin veut créer. Lorsqu'il sélectionne une musique de fond, il doit prendre en considération les multiples caractéristiques des clients, comme l'âge, le sexe, la culture, de façon à s'adapter au segment visé.

Mais attention, il s'avère dangereux de faire des choix musicaux sans réflexion stratégique préalable. La musique doit coller à l'image globale des magasins, autrement elle risque d'avoir des effets dévastateurs sur la perception du magasin et les efforts de vente.

La musique est un puissant instrument. Savez-vous l'utiliser?

Il s'avère dangereux de faire des choix musicaux sans réflexion stratégique préalable : ils doivent coller à l'image globale des magasins.

MENER L'ACHETEUR PAR LE BOUT DU NEZ!

Une recherche menée à Montréal révèle que les odeurs influencent les comportements en magasin, lundi 20 janvier 2003

Jean-Charles Chebat

Attirer et retenir les clients sur le lieu de vente est évidemment l'objectif des stratèges du commerce de détail. Par la suite, les clients doivent acheter! Et cela pourrait être une question d'odeurs.

Depuis une quinzaine d'années, les chercheurs s'intéressent aux effets des odeurs sur les comportements en magasin. Cet usage est important dans de nombreuses stratégies commerciales.

Des systèmes de diffusion d'arôme ont été développés pour des hôtels tels que le Mirage à Las Vegas et le Biscayne Bay Marriott à Miami. À Walt Disney World, en Floride, la *Magic House* au centre Epsomite comprend une chambre avec l'odeur d'un gâteau au chocolat pour créer un sentiment de relaxation et de confort.

Certaines boulangeries diffusent des odeurs artificielles dans le but d'accroître les ventes. Dunkin' Donut reconnaît l'importance de l'odeur du café chaud pour attirer les clients. Les chaînes de café Starbucks et Mrs. Field Cookies ont adopté la même stratégie.

À la Chaire de commerce Omer DeSerres de HEC Montréal, plusieurs études sur ce thème ont été réalisées. Ces recherches ont été effectuées auprès de consommateurs dans un centre commercial de l'ouest de l'île de Montréal, durant leur activité normale de magasinage. Les conclusions ne manquent pas d'intérêt [1].

1. Consultez :
- MICHON, Richard, Jean-Charles CHEBAT et L.W. TURLEY. « Mall Atmospherics: the Interaction Effects of the Mall Environment on Shopping Behaviour », *Journal of Business Research*, January 2004.
- CHEBAT, Jean-Charles et Richard MICHON. « Impact of Ambient Odours on Mall Shoppers' Emotions, Cognition, and Spending : A Test of Competitive Causal Theories », *Journal of Business Research*, Vol. 56, Issue 7, July 2003, p. 529-539.

Lors de la première phase d'une durée d'une semaine, on a mesuré à l'aide d'un questionnaire les perceptions, émotions et comportements de consommateurs sous condition d'odeur neutre. Durant la deuxième phase, la semaine suivante, après avoir pris soin qu'aucune promotion ou événement extérieur ne puisse influencer les résultats, on a mesuré les mêmes variables après avoir modifié l'odeur ambiante en diffusant une odeur d'agrumes à un niveau de concentration constant. La troisième phase s'est déroulée de la même manière, avec cette fois une odeur de lavande.

Ventes en forte hausse

Les résultats sont plutôt spectaculaires. L'écart entre la phase d'odeur neutre et la phase d'odeur d'agrumes est le suivant : pour l'ensemble des participants, les ventes moyennes par personne sont passées de 45 $ à 70 $ (excluant les ventes de produits alimentaires). Pour un segment de la population dit « hédoniste », c'est-à-dire les consommateurs qui aiment se livrer au magasinage, le résultat est encore plus frappant puisque les ventes sont passées de 48 $ à 90 $.

Pourquoi? Contrairement aux résultats des recherches précédentes, les effets de l'odeur d'agrumes sur les émotions sont faibles ou inexistants, ils sont plutôt liés aux perceptions. Lesquelles? L'odeur d'agrumes améliore la perception de la qualité des produits vendus et agit sur la perception des prix qui semblent plus justifiés.

Autrement dit, l'odeur d'agrumes modifie la valeur des produits. Rien de bizarre à ce que les ventes augmentent, donc.

Les consommateurs semblent accroître leur sensibilité par rapport aux variations des conditions de magasinage. Alors que les consommateurs dits « utilitaristes » considèrent l'activité de magasinage comme un coût et viennent dans un magasin ou un centre commercial avec l'idée d'en sortir au plus vite, les hédonistes y trouvent plaisir et stimulation. Des résultats semblables ont été constatés dans une recherche précédente sur les effets de la musique.

Quant à l'odeur de lavande, moins stimulante que celle des agrumes, les effets ont été beaucoup plus modestes mais, encore une fois, plus importants chez les clients dits « hédonistes ».

Les odeurs seraient-elles l'instrument magique des ventes?

Pas une panacée

Il serait aberrant de laisser croire que l'usage d'odeurs est la panacée. Les effets des odeurs doivent être systématiquement testés avant usage dans la réalité d'un magasin ou d'un centre commercial. Leurs effets allant au-delà des émotions, ils sont à la fois difficilement perceptibles et puissants.

Plusieurs recherches ont mis en évidence le lien entre certaines odeurs et la perception de la qualité des produits, tant positivement que négativement. Si l'odeur est inappropriée, même si elle demeure agréable (une odeur de chocolat, par exemple), elle peut générer des perceptions négatives.

Telle odeur évoque un souvenir, une situation, elle est de ce fait plus ou moins conforme à la situation de magasinage. Or, elle doit être à la fois acceptable dans la situation de magasinage et être surprenante au point de stimuler l'attention. Mais encore faut-il, bien sûr, que cette attention soit dirigée vers des signaux (comme de la promotion, un étalage de marchandises) qui sont persuasifs. L'odeur seule ne peut pas tout faire.

Les odeurs sont souvent associées aux objets, aux événements ou même aux personnes. Au cours de la visite d'un magasin ou d'un centre commercial, les odeurs ambiantes relient les consommateurs à des émotions et des souvenirs personnels, heureux ou mal-heureux, logés dans leur mémoire à long terme.

Un des exemples les plus connus est celui des fameuses madeleines de Marcel Proust : les signaux sensoriels font ressortir les sentiments plaisants et mélancoliques en provoquant des souvenirs profondément ancrés dans la mémoire ou encore pratiquement oubliés.

Mais cet instrument puissant que sont les odeurs doit être utilisé avec soin et prudence car, comme la musique, les odeurs présélectionnent les consommateurs qui se disent plus ou moins consciemment : « cet endroit est fait pour des gens comme moi »… ou bien le contraire!

Les odeurs peuvent stimuler les ventes. Elles sont évocatrices des objets, des événements ou des personnes.

Le gâteau au chocolat? C'est la relaxation et le confort. La lavande et les agrumes? C'est la qualité.

Attention : les odeurs ne sont pas magiques.
Elles doivent être choisies avec soin car certaines pourraient exercer un effet contraire à celui désiré.

SIX STRATÉGIES DE FIDÉLISATION DE LA CLIENTÈLE

lundi 18 novembre 2002
Robert Desormeaux

Comment fidéliser nos clients? Quelle stratégie adopter pour les conserver et accroître sa part de client[1], c'est-à-dire la proportion des achats pertinents que chaque client fait chez nous? Bien sûr, il y a les programmes promotionnels comme Air Miles qui encouragent la fidélité des clients en leur donnant des rabais et des primes. Mais nous parlerons ici de six autres stratégies de fidélisation qui sont à la portée de toutes les entreprises et en particulier des PME.

1. La satisfaction

Satisfaire fidélise. Ainsi, les statistiques démontrent que les clients vraiment satisfaits de leur concessionnaire automobile lui sont, en moyenne, trois fois plus fidèles que ceux qui sont seulement satisfaits. Donc, la première stratégie de fidélisation, c'est de bien satisfaire ses clients. Simple, mais difficile à faire.

Satisfaire sa clientèle demande des efforts continuels de la part de tous dans l'entreprise. Pour y arriver, il faut tout d'abord que la direction ait une réelle orientation clientèle et qu'elle adopte des politiques et des pratiques en conséquence. Malheureusement, même si presque toutes les directions d'entreprise proclament être orientées clientèle, il s'agit, trop souvent, d'un vœu pieux qui ne se traduit pas en gestes concrets. Résultat : l'entreprise ne satisfait pas vraiment sa clientèle. Pas étonnant alors que ses clients ne soient pas aussi fidèles qu'elle le voudrait.

---

1. À titre d'exemple, si l'ensemble des achats pertinents du client se chiffrent à 3 000 $ et s'il achète pour 1 000 $ chez nous, notre part client est de 33 %.

2. Une offre personnalisée

La deuxième stratégie consiste en une offre personnalisée adaptée à chaque client. Ce traitement sur mesure est effectivement fidélisant. Mais, pour que ce soit rentable, il faut que l'adaptation soit peu coûteuse, sinon il faut pouvoir augmenter le prix en conséquence ou encore que le volume de vente et la marge de profit soient suffisamment élevés pour absorber les coûts additionnels de l'adaptation. C'est pourquoi bien des entreprises réservent cette stratégie à certains clients importants seulement. Cela se voit fréquemment sur les marchés d'affaires où les clients sont des entreprises.

3. Une part accrue de client

Troisième stratégie : accroître la part de client par des efforts pour amener les consommateurs à acheter plus souvent ou en plus grande quantité ou encore des services-produits plus coûteux. Si cela est bien fait, si les achats additionnels proposés correspondent aux besoins des clients, ceux-ci penseront que l'entreprise les connaît bien et s'efforce de mieux les satisfaire. Ils verront cela comme du service. Mais si cela est fait de façon malhabile ou trop insistante, les clients se sentiront sursollicités ou même harcelés et cela pourra avoir un effet négatif sur leur fidélité.

4. Garder et récupérer

La quatrième stratégie consiste à faire des efforts particuliers et ciblés auprès des clients à risque (pour les garder) et des clients perdus (pour les récupérer). Cela permet aussi de s'améliorer grâce aux renseignements fournis par les clients sur les raisons de leur désaffection. Un des dangers de cette stratégie est d'amener une certaine négligence dans la qualité du service sous prétexte qu'on pourra se rattraper plus tard. Un autre danger, c'est de conduire à une surenchère coûteuse dans les offres faites aux clients à risque ou perdus. Si la surenchère parvient aux oreilles des clients fidèles, cela peut leur donner le sentiment d'être floués, comme l'abonné fidèle d'une entreprise de télécommunication qui entend des ex-abonnés infidèles se vanter des rabais que celle-ci leur a accordés pour les récupérer après qu'ils l'eurent quittée.

5. Changement difficile

La cinquième stratégie vise à rendre difficile le changement de fournisseur. Alors, le client ne changera que s'il est vraiment insatisfait. Cette stratégie peut être légitime si la contrainte est légère, comme par exemple la nécessité de devoir aviser sa banque ou sa caisse de cesser les paiements mensuels préautorisés à l'ancien fournisseur. Pourquoi cela peut-il être légitime? Parce que la satisfaction peut augmenter après avoir connu une baisse temporaire. S'il y a une petite contrainte, le client ne quittera pas dès qu'il éprouve une petite insatisfaction. Il demeurera fidèle et sera à nouveau satisfait peu de temps plus tard. Il se félicitera alors lui-même d'avoir été fidèle. Il n'est pas éthique d'imposer une contraite trop grande.

6. Service très relevé

La sixième stratégie, c'est d'offrir un niveau de service très élevé, visiblement supérieur à la concurrence, afin que les clients soient comblés, enchantés, ravis. Souvent, ce n'est pas rentable parce que cela coûte plus cher et que les clients ne sont pas prêts à en payer le prix. Mais il s'agit d'une bonne stratégie si on peut l'appliquer à un coût raisonnable, si on cible un segment de marché qui est suffisamment grand, qui valorise un tel service et qui est prêt à payer en conséquence. Par exemple, une auberge champêtre enchante ses clients avec un service haut de gamme tellement hors de l'ordinaire que ceux-ci en gardent un souvenir impérissable, y retournent et en font la publicité. On peut décider de réserver cette stratégie aux meilleurs clients. Plutôt que de fournir le même service à tous, on offre un service vraiment supérieur aux clients plus importants et un bon service aux autres. C'est ce que font beaucoup d'entreprises, sans le dire publiquement. Car, quand on fait cela, il faut prendre garde de ne pas créer un sentiment de dévalorisation chez les autres clients en ne leur rendant pas trop visible la différence de service.

Finalement, soulignons trois points. D'abord, la plupart des entreprises ne cherchent pas à fidéliser tous leurs clients mais seulement ceux dont la rentabilité actuelle ou potentielle est intéressante, ensuite l'entreprise peut utiliser plus d'une stratégie de fidélisation à la fois et finalement, les efforts de fidélisation sont plus efficaces si on dispose de bonnes bases de données sur la clientèle.

> Six stratégies de fidélisation des clients sont à la portée des PME.
>
> Chacune de ces stratégies possède des avantages et des inconvénients. Il faut en prendre conscience avant de choisir d'appliquer l'une ou l'autre.
>
> Un choix éclairé demande de bien connaître ses clients.

TRAITEZ LES « PLAIGNARDS » AUX PETITS OIGNONS

lundi 16 février 2004
Jean-Charles Chebat

« Ah, les clients qui se plaignent, quelle plaie ! » Trop de commerçants conçoivent encore leurs relations avec leurs clients grogneurs en ces termes. Au contraire, si on comprend bien les recherches actuelles sur ce sujet, un conseil : traitez-les avec attention et surtout, avec justice !

Les relations tendues entre commerçants et clients insatisfaits constituent un problème important du commerce de détail. Les clients qui se plaignent ne sont pas une plaie, mais une occasion exceptionnelle pour le commerçant de rétablir une relation équilibrée. Après avoir payé de leur argent et de leur temps la sélection d'un produit ou d'un service, ces clients font encore l'effort d'expliquer ce qui, concrètement, fait problème : un produit défectueux, voire décevant, un service incompétent ou un manque de courtoisie.

Lorsqu'un client revient au magasin pour se plaindre, il s'impose un coût additionnel, non seulement en temps, mais en efforts psychologiques. Lorsque le client fait face au patron du magasin ou à ses employés, il doit s'y préparer psychologiquement : comment expliquer le problème, quelle attitude prendre, quelles émotions montrer et lesquelles dissimuler ? C'est un véritable affrontement auquel il n'est pas habitué.

Ne présumez pas, comme le font trop d'entreprises, que le client est de mauvaise foi et qu'il s'efforce de vous soutirer des avantages indus. Le client paie trop cher de son temps et de ses efforts. La plainte est, au contraire, une occasion en or. Le commerçant doit y porter beaucoup d'attention et la régler avec justice. Pourquoi ?

Le client qui se plaint lui apporte l'information vitale sur ce qui ne va pas dans la gestion de son entreprise. C'est une mesure vivante du degré auquel le commerce colle au marché (ou s'en décolle). Aucune étude de marché ne lui dira de façon aussi précise ce qui doit être corrigé d'urgence dans l'entreprise. Écoutez donc votre client! Rendez-lui la justice qu'il demande.

Bien plus, un client mécontent que vous parviendrez à récupérer a toutes les chances de devenir un client fidèle. La plainte, puis l'offre de récupération que vous lui aurez faite, sont des expériences peu banales qui marqueront sa mémoire.

La façon de traiter le client est aussi importante, sinon plus importante, que ce qu'il reçoit. Une récente recherche (Chebat et Slusarczyk, 2003) [1] démontre en fait que la politesse et le respect du client comptent plus pour susciter la fidélité que ce qu'on lui remet en compensation matérielle. N'essayez pas d'acheter le client insatisfait avec des compensations excessives (par exemple, si le steak d'un des cinq clients de la famille est brûlé, annuler la facture de toute la famille). Les signaux d'attention authentique au problème sont plus efficaces. Car la justice n'est pas seulement matérielle. Elle est également constituée de l'attitude envers le client. Une chose encore : réglez les problèmes rapidement! Cette même étude révèle que si le règlement de la plainte tarde, les sentiments du client s'aigriront vite. Par contre, si le règlement est rapide, ne vous attendez pas à des remerciements : les clients d'aujourd'hui considèrent qu'il est normal que leurs plaintes soient traitées dans de courts délais, sans plus. Par conséquent, cela suppose que vous donniez à vos employés en relation directe avec la clientèle la capacité de régler ces problèmes sans avoir à demander l'avis de leur supérieur. Cela s'appelle l'*empowerment*! Cela suppose la confiance et la responsabilisation des employés.

---

1. CHEBAT, Jean-Charles, et Witold SLUSARCZYK. « How Emotions Mediate the Effects of Perceived Justice on Loyalty in Service Recovery Situations: an Empirical Study », *Journal of Business Research*.

Savoir régler les plaintes rapporte. Par exemple, chez British Airways, chaque livre sterling investie dans le service de récupération des clients qui se plaignent en rapporte deux! (Weiser, 1995) La justice n'est pas seulement une question d'éthique commerciale, c'est aussi une question de bonne gestion.

Gérer la colère

Du point de vue des consommateurs qui se plaignent, la justice est plus qu'un calcul économique pour rétablir un équilibre rompu. Entrent en jeu des émotions puissantes, de la frustration, de la colère, de la résignation, etc. La relation qui découle de la récupération de l'incident par le commerçant prendra la tonalité de l'émotion finale. À propos : avez-vous enseigné à vos employés comment faire face aux émotions des clients insatisfaits?

Les employés de magasins sont formés pour la vente, la gestion d'une caisse et le développement d'une compétence générale dans un type de produit. Sont-ils formés pour prendre en charge des clients colériques, violents ou, à l'inverse, des clients timides qui craignent de s'exprimer en public? Avez-vous prévu un lieu un peu discret où les clients insatisfaits peuvent exprimer leurs plaintes, car nombreux sont ceux qui ne le feront pas en public. Avez-vous aussi pensé que la gestion des plaintes est une expérience stressante pour les employés dont ils doivent eux-mêmes récupérer?

Régler des plaintes est une affaire plus que délicate : elle est centrale à la gestion des commerces.

Elle est aussi centrale à l'image des entreprises.

Plus important encore, elle est le cœur de la vie économique.

RENDEZ JUSTICE À VOS CLIENTS INSATISFAITS

lundi 22 mars 2004

Jean-Charles Chebat

Lorsqu'un client adresse une plainte à une entreprise, c'est une bénédiction! Vous croyez que je plaisante? Roland Rust, éminent chercheur et économétricien du marketing, a proposé une méthode permettant de calculer la valeur économique des plaintes. L'idée est simple : l'entreprise qui profite des plaintes en apprenant à ne pas refaire les mêmes erreurs évite de perdre des clients et donc, tire avantage de ces plaintes sur les plans de ses revenus et de sa gestion.

On dit souvent que le client a toujours raison ou encore que le client est roi! En vérité, il suffit de lui rendre justice pour le fidéliser, et la justice n'est pas un concept abstrait à connotation juridique. Elle doit s'appliquer avec rigueur dans les transactions quotidiennes.

Or, cette justice est tridimensionnelle, c'est-à-dire qu'elle implique trois types de justice : distributive, procédurale et interactionnelle.

La justice distributive est la plus évidente : tous les clients doivent être traités selon les mêmes règles et ces règles doivent être transparentes. Dans les magasins, par exemple, ce à quoi le client a droit doit être affiché, évident, clair, manifeste. C'est une règle absolue des sociétés libérales : la transparence. C'est l'antithèse du favoritisme, du népotisme. Si un client est insatisfait d'un produit ou d'un service et si les règles sont respectées, le minimum est évidemment le remboursement. Doit-on aller plus loin? Doit-on considérer les inconvénients dus au fait que le client a été privé d'avantages auxquels il s'était attendu en ayant entre les mains un produit inadéquat? Oui, si l'objectif commercial est de fidéliser le client, car la justice simple ne suffit pas. Donner au client simplement ce à quoi il a droit ne marque pas sa mémoire, n'a pas d'effet sur ses intentions de revenir au magasin, au restaurant ou chez son loueur d'autos. Ce qui marque le client à long terme, c'est l'émotion qu'il ressent en recevant un extra inattendu : un petit cadeau, une fleur qui marque une relation qui vient de s'établir sur un registre autre que commercial.

Le deuxième type de justice est la justice procédurale. À quoi cela peut-il bien servir de compenser le client pour un produit ou un service inadéquat s'il doit mettre énormément d'efforts pour obtenir réparation : appels téléphoniques, lettres, visites, qui impliquent des pertes de temps et d'énergie, mais surtout qui génèrent beaucoup d'émotions négatives. Tout au long du processus, le client reconstruit sa relation avec l'entreprise sur un mode d'agressivité. L'image qu'il a de l'entreprise pendant toute cette période est de plus en plus négative et la lenteur procédurale envenime davantage sa relation. Si le client obtient finalement justice, la relation aura été ruinée malgré tout. C'est pourquoi il faut absolument faciliter le processus de gestion des plaintes des clients, leur signaler clairement la marche à suivre pour obtenir ce à quoi ils ont droit et ne pas leur imposer un coût additionnel pour la procédure après avoir subi un dommage à cause d'un produit ou d'un service inapproprié. La recette? L'*empowerment*. Les employés doivent avoir le pouvoir de régler les problèmes sur-le-champ. Nos recherches récentes dénotent que ce n'est pas un luxe : les clients ne ressentent aucune émotion positive si l'entreprise est efficace dans la gestion des plaintes. Par contre, les émotions sont très négatives si l'entreprise est inefficace. Autrement dit, la procédure efficace est une nécessité de base (un *basic requirement*).

La troisième dimension de la justice est interactionnelle. Le client qui se plaint est plus que d'ordinaire sensible aux signaux de l'entreprise. Il a le droit d'être respecté. La politesse et la courtoisie sont plus que jamais indispensables. Or, si l'on forme les vendeurs à être persuasifs, ils sont rarement outillés pour faire face à des situations potentiellement conflictuelles avec le client. Il faut éviter que l'employé « prenne les nerfs » au contact d'un client lui-même nerveux. Ce n'est certes pas facile, mais c'est vital! Ne donnez donc pas au client insatisfait une deuxième raison de se plaindre, soit celle d'avoir été traité cavalièrement. En fait, j'irai jusqu'à dire que cette forme de justice est la plus importante des trois, c'est celle qui, selon nos recherches empiriques avec des clients insatisfaits, génère le plus d'effets. La façon d'interagir avec le client qui se plaint a des effets comportementaux : plus que les deux autres, cette forme de justice génère directement l'abandon de l'entreprise. La forme est plus importante que le fond ou, pour faire un jeu de mots, que les fonds.

Récupérer des clients qui se plaignent n'est pas un luxe, c'est un objectif vital. L'absence de croissance démographique et des revenus conjuguée à la croissance de la concurrence, fait qu'il coûte huit fois moins cher de récupérer des clients qui se plaignent que d'aller en chercher de nouveaux. Pis encore, un client insatisfait qui le demeure après avoir tenté d'obtenir justice devient littéralement enragé contre cette entreprise, comme le souligne une recherche empirique récente sur la colère. Cela vaut bien le coup (le coût?) d'apprendre aussi ce type de gestion.

Rendre justice aux clients… trois fois plutôt qu'une!

En le traitant aussi bien que les autres,
en lui évitant des démarches désagréables et
inutiles, en accueillant ses plaintes avec respect,
politesse et courtoisie.

LES CLIENTS-PRISONNIERS NE SONT PAS VRAIMENT FIDÈLES

lundi 19 avril 2004
Jean-Charles Chebat

Des clients-prisonniers? Quel est ce concept bizarre et comment peut-on le définir? Il découle du fait que des clients peuvent rester fidèles à des entreprises avec lesquelles ils entretiennent des relations tendues, conflictuelles même, mais qui les retiennent par des liens solides. Ces liens, appelés coûts de transfert, sont des coûts psychologiques, physiques et économiques qui rendent difficile pour un client le changement de fournisseur.

À titre d'exemple, décrivons une situation que sans doute bien des lecteurs ont vécue : votre banque commet des erreurs à répétition, vous vous plaignez, mais en vain. Vous aimeriez transférer votre compte et vos actifs à une autre banque. Mais vous réalisez que vous devez faire part de vos nouvelles coordonnées bancaires à votre courtier, à vos assurances, à Hydro-Québec, à Gaz Métro-politain, à GMAC, à votre *alma mater* à qui vous faites des dons préautorisés et à bien d'autres entreprises qui prélèvent des montants sur votre compte chèques. Devant l'ampleur de la tâche, vous renoncez, découragé et frustré, et laissez votre compte à cette même banque qui vous a pourtant déçu.

Autre exemple : les points de fidélité. Votre compagnie d'aviation offre des services inacceptables mais vous continuez à voyager sur cette compagnie, car vous attendez votre récompense : un voyage gratuit aux Bahamas!

L'entreprise qui évalue le degré de fidélité de ses clients sur la base du nombre de ceux qui la quittent commet une très grave erreur. Cette fidélité acquise en élevant les barrières à la sortie est une fausse fidélité.

Elle ne reflète absolument pas les véritables sentiments des clients à son égard. Si une entreprise concurrente leur permettait un jour de réduire les coûts de transfert, les clients s'échapperaient alors de l'enclos.

On distingue trois types de coûts de transfert :

1. Les coûts de transaction représentent les coûts imputés au client lorsqu'il change d'établissement (bancaire, par exemple, en ce qui a trait aux prêts hypothécaires).

2. Les coûts d'apprentissage découlent de l'impossibilité pour un client de transférer ses connaissances d'utilisation d'une marque à une autre. Par exemple, une entreprise fait régulièrement affaire avec une firme spécialisée en services informatiques; cette firme connaît tout ou presque de son client qui a mis du temps à l'informer de son fonctionnement interne. Changer de fournisseur deviendrait alors trop coûteux pour le client.

3. Les coûts artificiels ou contractuels sont le résultat d'actions et de décisions prises par l'entreprise pour fidéliser ses clients.

Certaines entreprises mettent en place des programmes afin de récompenser les clients fidèles et pénaliser ceux qui changent fréquemment de fournisseurs (par exemple, certaines banques qui, dans le but d'inciter les clients à n'utiliser qu'une seule carte de crédit, offrent une ristourne de 2 % sur l'achat futur d'une automobile).

Que se passe-t-il si un client est retenu contre son gré? Les recherches nous apprennent que le consommateur base sa décision sur un calcul coûts / bénéfices : combien cela coûte-t-il de partir (en argent, efforts, agacement) et combien y gagne-t-on?

Certes, ce calcul a du sens. Mais il faut aller plus loin car le client n'est pas une machine à calculer! Il a des émotions et peut fort bien quitter l'entreprise, même s'il est perdant sur le plan des calculs, simplement parce que la coupe est pleine! En effet, tout réduire au seul calcul économique génère frustration et colère chez le client et ce sont ces émotions qui le poussent à prendre la décision de quitter.

Une recherche récente effectuée à la Chaire de commerce Omer de Serres (HEC Montréal) illustre l'impact de ces émotions et des coûts de transfert sur le comportement des consommateurs.

D'une part, les coûts de transfert relatifs à la recherche, à l'évaluation de fournisseurs potentiels et à la mise en place d'une nouvelle relation d'affaires expliquent logiquement pourquoi les clients restent fidèles. D'autre part, les émotions (appréhension, frustration, colère) révèlent aussi pourquoi ils quittent. Or, ce dernier type de variable a (statistiquement) beaucoup plus de poids que les coûts de transfert.

En fait, d'autres analyses ont démontré que ces émotions négatives étaient causées par les coûts de transfert. Autrement dit, le client qui se sent pris au piège, coincé par des coûts de transfert élevés, est frustré, se met en colère et s'en va.

Ces clients-là sont perdus et irrécupérables. Pire, ils se feront une joie de faire savoir à leur entourage la frustration qu'ils ont ressentie dans la relation avec votre entreprise et la colère qui les en a libérés.

Fidéliser les clients en les retenant prisonniers a donc un prix. Il faut les fidéliser avec des services et des produits de qualité, ainsi qu'avec des prix acceptables. Les clients doivent avoir le choix!

La liberté de circulation est un élément clé des sociétés libérales : celle des biens, certes, mais aussi des personnes, et ce, non seulement sur le plan géographique, mais aussi d'une entreprise à une autre.

LA GÉNÉRATION MONTANTE, UN DÉFI DE TAILLE POUR LES GESTIONNAIRES DU MARKETING

mardi 14 octobre 2003

Jacques Nantel

Voilà déjà plusieurs décennies que gestionnaires et spécialistes du marketing s'emploient à sonder la génération des *baby-boomers* tentant ainsi de répondre à ses moindres désirs. Si les *boomers* ont su, par leur nombre, façonner nos méthodes de commercialisation de biens et services, la génération montante aura, pour sa part, un impact encore plus important sur celles-ci.

La génération Nexus est composée des enfants des derniers *boomers*. Ils sont nés entre 1980 et 1995. Bien qu'ils soient plus nombreux que la génération née entre 1965 et 1980, ils ne représentent pas le poids démographique de la génération de leurs parents.

Par contre, ils sont à même de créer, tout autant que leurs parents sinon davantage, une révolution par leur manière de consommer. Forts d'une éducation plus ouverte sur le reste du monde, possédant une maîtrise inégalée des nouvelles technologies, les Nexus imposent déjà leurs règles. À cet égard, les sites d'échange de musique tels que Napster, Kazaa et Morpheus ne sont que la pointe de l'iceberg. Si ce phénomène a fait chuter les ventes de musique préenregistrée de plus de 20 % depuis 2001, déclenchant ainsi les foudres de l'industrie, il n'est pas sur le point de s'arrêter, bien au contraire.

Ce qui se passe sur les sites d'échange de musique a peu à voir avec le piratage au sens strict du terme. Ce que veulent les utilisateurs de ces sites, ce n'est pas tant de la musique gratuite que LA musique qu'ils désirent. Ils en ont marre de devoir acheter un CD de 20 plages dont seules deux ou trois les intéressent. C'est un signal donné par une génération entière. Cette génération, qui écoute déjà moins la télé que la génération précédente, qui préfère *skater* dans la rue plutôt que de s'inscrire dans des clubs organisés de hockey et qui *chate* avec des amis du bout du monde sans payer un cent d'interurbain, sera, dans à peine 10 ans, au cœur de notre économie de consommation.

Généralement plus instruite, cette génération est aussi plus intolérante. Ces nouveaux consommateurs utilisent des processus décisionnels différents. Alors que le *boomer*-type tente, lors d'un achat, de faire le meilleur choix à partir d'un ensemble connu de possibilités, le consommateur Nexus a une approche plus idéaliste. Ce dernier part souvent d'un idéal-type, c'est-à-dire d'une idée du produit ou du service qui comblera toutes ses attentes. Il émet ainsi l'hypothèse que, nonobstant ce qui est disponible, le produit idéal existe quelque part. De là, aidé par les nouvelles technologies, il commence sa recherche. Si le produit idéal n'existe pas ou s'il n'existe pas selon toutes les conditions recherchées, il relâchera, une à une, certaines de ses exigences. Même si, au bout du compte, les deux types de démarche peuvent aboutir au même choix, la nature du processus est bien différente.

Cette nouvelle approche à la consommation impose aux manufacturiers et aux détaillants qu'ils soient au moins aussi bien informés que leurs clients. Comme ce n'est pas toujours le cas, les consommateurs, en particulier les jeunes, démontrent de plus en plus leur insatisfaction et leur intolérance en se tournant alors vers des formes alternatives de consommation, dont le commerce électronique.

Finalement, s'il est une caractéristique qui semble représenter la génération Nexus, c'est son individualisme, sa tendance à présumer que les enjeux collectifs ne sont souvent que la somme des enjeux individuels. Cette quête à vouloir se différencier, voire à souhaiter se singulariser, engendre des changements importants en matière de conception et de commercialisation des produits et services. De plus en plus, des pressions s'exercent sur les entreprises afin qu'elles personnalisent leur offre commerciale. Nous avons déjà parlé de l'industrie de la musique qui souffre avant tout de ne plus pouvoir imposer des CD préconfigurés. Il en va de même pour d'autres industries, mais certaines en tirent avantage. Tel est le cas, dans le secteur du vêtement, de la compagnie Land's End, récemment rachetée par Sears, qui offre aux consommateurs de leur confectionner des vêtements sur mesure et à distance.

Cette tendance à l'individualisme est telle qu'on parle, en marketing, d'une révolution engendrée par la demande accrue pour des produits individualisés. D'autant plus que les nouvelles technologies de l'information permettent aux entreprises de personnaliser leur offre, et ce, à des coûts abordables.

Les Nexus auront d'ailleurs un pouvoir d'achat plus élevé que les générations précédentes. Deux phénomènes se conjugueront, faisant en sorte que le pouvoir de consommation des Nexus, au moment où ils seront âgés de 40 à 50 ans, sera sans pareil. Le premier a trait au marché de l'emploi qui, au fur et à mesure que leurs aînés se retireront, leur sera favorable. Le second se rapporte à la passation de la richesse des *boomers* vers les Nexus. Deux phénomènes que n'ont pas connus les *boomers*.

Les Nexus sont des consommateurs révolutionnaires.

Ils sont éduqués et ouverts sur le reste du monde.

Ils sont intolérants et individualistes.

Ils sont idéalistes et auront un jour les moyens de leurs aspirations.

Y a-t-il un Nexus dans votre entourage?

LA GESTION INTERCULTURELLE, UNE NÉCESSITÉ

lundi 17 février 2003

Michel Provost

La gestion interculturelle fait maintenant partie intégrante de la vie des gestionnaires.

Faire du marketing, de nos jours, implique de prendre en considération la diversité de la clientèle et notamment leur appartenance à une variété de communautés culturelles. En outre, l'embauche et la sélection de personnel obligent au respect des droits de la personne eu égard à leurs origines ethniques.

Aussi, l'achat de matières premières ainsi que les échanges avec les fournisseurs nous mettent de plus en plus en situation de négociation avec des personnes d'origines ethniques différentes de la nôtre. Considérer qu'il s'agit d'un domaine réservé aux seuls spécialistes des affaires internationales est une vision dépassée.

Comme les dernières données du recensement le démontrent, Montréal est une ville multiethnique. Y faire des affaires exige de plus en plus d'habiletés de gestion interculturelle et même, dans certains cas, presque autant que s'il s'agissait de se déplacer à l'étranger. Les valeurs, la culture, les symboles, les préjugés ainsi que la discrimination constituent autant de paramètres que les gestionnaires doivent intégrer à leurs pratiques de gestion.

Vendre, offrir un service, acheter, élaborer un contrat, importer, procéder à des fusions et à des acquisitions sont des activités courantes pour l'entrepreneur. Dans un contexte interculturel, celui-ci doit maintenant développer davantage ses capacités de communiquer et de négocier dans le respect et la connaissance de l'autre.

Apprendre à communiquer et à négocier dans un contexte inter-culturel, c'est apprendre à développer une attitude d'ouverture vis-à-vis de la diversité culturelle. C'est d'abord apprendre à connaître l'autre, celui ou celle qui veut acheter, vendre ou négocier avec nous. Concrètement, c'est choisir d'acquérir suffisamment d'informations sur l'autre, de connaître son bagage socioculturel pour nous permettre de diminuer les irritants dans notre conver-sation et d'éviter les bris de communication.

Par exemple, il faut savoir qu'une télécopie, aux yeux de plusieurs citoyens issus de sociétés en émergence, n'a de valeur réelle que si elle est précédée d'une relation informelle, c'est-à-dire d'un échange préalable direct de personne à personne. Il faut également savoir que la magie de l'informatique n'opère pas toujours. Il faut apprendre à établir d'abord et avant tout un rapport humain. Et chose capitale, il faut savoir décoder le non-verbal.

Pour ce faire, un vaste bagage de connaissances est à la portée de tous. Par l'entremise de films comme *Jamais sans ma fille*, la fréquentation d'événements comme le Festival de jazz de Montréal ou la lecture de bons romans sur l'une ou l'autre des communautés culturelles, on découvre progressivement l'importance relative de certaines valeurs propres à d'autres collectivités.

Dans les échanges avec les clients, les fournisseurs, les employés et même les actionnaires, les risques de discrimination, de margina-lisation, voire de racisme, se multiplient. Toutes les entreprises, petites ou grandes, devraient s'inquiéter des risques et des coûts associés à une mauvaise gestion interculturelle : mauvais climat de travail, accroissement des congés pour maladie déguisés, insa-tisfaction des clients, incompréhension entre professionnels et cadres, inefficacité des équipes multiculturelles, etc.

Deux éléments sont donc à la base des relations interculturelles : le respect et la connaissance de l'autre.

Le respect concerne l'attitude à adopter par rapport à l'autre. Ainsi, la tolérance et l'ouverture sont indispensables pour amorcer toute démarche interculturelle. Cet état d'esprit est fondamental, car il permet d'éviter le mépris dans le ton, l'arrogance dans le propos et surtout le recours à des préjugés ou des stéréotypes pour juger de certaines situations : « ils sont tous paresseux », « ils sont toujours en retard » ou encore « ils ne veulent pas m'embaucher à cause de mon accent ».

L'attitude d'ouverture a pour principal avantage de stimuler l'envie de connaître les autres. Car pour tenir compte des autres, de leurs différences, il faut cultiver la curiosité d'apprendre. Par exemple, pour l'entrepreneur, il sera judicieux de savoir la représentation et la perception que ses employés d'origines culturelles diverses se font de l'autorité, de l'obéissance, de la compétence et même du travail.

Des milieux généralement plus traditionnels, comme le monde financier, décident de s'impliquer. Notamment, des organismes comme les Centres financiers aux entreprises appartenant au mouvement Desjardins travaillent actuellement à mettre au point des mécanismes simples et adaptés d'apprentissage à l'interculturel.

La mise sur pied de programmes d'apprentissage à la communication efficace dans un contexte interculturel (PACECI) donne lieu à de courts séminaires qui se déroulent en entreprise et qui permettent aux employés d'échanger sur une question interculturelle d'intérêt commun. De telles démarches sont accessibles à toutes les PME.

L'attitude d'ouverture a pour principal avantage de stimuler la connaissance des autres.

La curiosité est une grande vertu, mais surtout une attitude qui se développe.

C'est une attitude gagnante sur tous les plans : meilleures relations avec les clients, mais aussi avec les employés, les fournisseurs, les partenaires d'affaires, etc.

LA MISE EN MARCHÉ :
COMMENT S'INSPIRER DES GRANDS?

lundi 26 mai 2003
JoAnne Labrecque

L'entrée sur le marché québécois de nouveaux joueurs importants comme Wal-Mart, Home Depot, Future Shop, Loblaws, Winners, Gap, Starbucks et Chapters, pour ne nommer que ceux-là, a contribué à transformer le paysage du commerce de détail depuis le début des années 90.

Cette nouvelle concurrence a forcé tous les acteurs déjà bien implantés sur le marché québécois à revoir leur stratégie de mise en marché et de bonifier leur offre commerciale pour demeurer concurrentiels.

Ainsi, nous avons assisté à des agrandissements, des rénovations de magasins, à l'élargissement des gammes de produits offerts au même point de vente, à l'offre de nouvelles gammes de produits de marque maison ou privée, à la mise en application de programmes de fidélisation, à l'ajout de services, à des politiques de prix très audacieuses et à une gestion des opérations beaucoup plus serrée de la part des commerçants.

Pourquoi tous ces efforts de la part des grands détaillants et comment une petite ou moyenne entreprise peut-elle s'inspirer des grands pour garder sa clientèle?

Une situation incontournable

Il faut comprendre que la situation de forte concurrence va continuer de prévaloir dans le secteur du commerce de détail en raison d'un facteur incontournable : la faible croissance de la demande causée par la maturité du marché.

Tous les acteurs du commerce de détail continueront, au cours des prochaines années, de se battre pour garder leurs clients et essayeront d'en courtiser de nouveaux. L'augmentation de l'offre commerciale a rendu les consommateurs beaucoup plus exigeants et critiques. C'est donc un défi pour tous les détaillants d'ajuster leur mise en marché afin de rejoindre le plus de clients possible.

Au pays des géants

On le sait, les commerçants de petite ou moyenne taille n'ont pas les mêmes ressources que les géants pour concurrencer et peuvent, par conséquent, se sentir dépourvus devant l'ampleur de la compétition qu'exercent ces grandes surfaces.

Il ne faut cependant pas sous-estimer la capacité des petits détaillants à réagir rapidement aux changements dans leur environnement. Des commerces comme La Cordée, Fruits et Passion, Première Moisson et Simons ont su se trouver un créneau dans le marché et se démarquer des grands acteurs grâce à leur approche innovatrice. Ils ont également su s'inspirer des grands en appliquant à leur gestion les nouvelles normes de mise en marché que ceux-ci ont imposées.

Il faut tout d'abord admettre qu'un commerce ne peut pas répondre aux besoins de tous les clients. C'est ce que Eaton a essayé de faire, à sa grande perte. Si vous observez les grands, ils ont un message bien clair qui porte sur un aspect auquel la clientèle ciblée est sensible.

Les exemples de Wal-Mart avec ses bas prix ou du service chez Gap sont éloquents. Le message donné aux clients est clair lorsque tous les aspects de la mise en marché sont concordants.

Le bon choix de produits

Le choix des produits offerts en magasin est déterminant. Les grands détaillants analysent continuellement comment les consommateurs réagissent aux produits qu'ils offrent.

Grâce à l'utilisation de la technologie, notamment des codes à barres, il est possible de savoir quels sont les produits – marque, modèle, taille ou format, couleur – qui se vendent le mieux. Il est tout aussi important de suivre l'évolution des ventes par article, d'une saison à l'autre, afin de distinguer clairement les produits qui fonctionnent.

Un marchandisage efficace

Le marchandisage comprend l'aménagement de l'espace en magasin et la présentation des produits. Le marchandisage doit permettre la mise en évidence des produits, la facilitation du déplacement des clients et l'accès au service. L'efficacité du marchandisage dépend de plusieurs éléments.

Un principe de base simple à retenir est le suivant : ce qui est vu est vendu. Aussi, tous les espaces en magasin n'offrent pas tous la même visibilité.

En général, l'espace à la diagonale de la porte d'entrée attire davantage l'attention des clients. Les produits placés à cet endroit seront davantage vus et vendus, tout comme ceux sur le côté droit des allées et sur les tablettes situées à la hauteur des yeux.

Les détaillants ont donc intérêt à placer à ces endroits des produits à plus fortes marges. Il sera aussi important de disposer judicieusement la marchandise à l'intérieur du magasin de façon que les clients soient incités à faire le tour entier du magasin. Attention toutefois de ne pas encombrer les allées.

C'est en observant le déplacement de clients en magasin qu'on arrive à en optimiser l'aménagement.

Suivre de près sa performance

Il faut aller au-delà de l'analyse des ventes pour l'ensemble du magasin. L'analyse continue des ventes par rayon, par employé, par client, par transaction, par article, par catégorie de produits et par pied carré, permet de déceler les faiblesses de gestion et d'apporter les correctifs nécessaires.

L'évaluation de la performance ne se fait pas en vase clos. Les détaillants ont aussi avantage à se comparer à leurs concurrents.

Les géants sont parmi nous pour y rester.

Ils ont réaménagé les magasins.

Ils ont varié les produits.

Ils suivent de près leurs inventaires et leurs ventes.

Ces actions sont-elles incompatibles avec un commerce de détail?

3.
LES MIRACLES DU WEB

Peut-on attendre trop du Web? Déjà, cet outil semble essentiel et les meilleures pratiques en émergent rapidement. Sur Internet, clients et commerçants naviguent quelques fois en eau trouble et diverses questions d'éthique se posent avec une certaine acuité.

Un site Web se planifie minutieusement. De quels messages veut-on qu'il soit porteur? À quoi et à qui servira-t-il? Est-il trop rapide ou trop lent? L'utilisateur le consulte-t-il avec plaisir? Y trouve-t-il ce qu'il cherche? Réalise-t-il les économies de temps qu'il souhaiterait? Sur le Internet, il y en a pour tous les goûts.

Mais pendant les longues heures que certains utilisateurs passent devant leur ordinateur, magasinent-ils? Et achètent-ils, finalement? Comment le e-commerce évolue-t-il? Est-il en croissance ou en décroissance? Et pourquoi? Le dirigeant d'entreprise en a-t-il lui aussi pour son argent?

Une chose est certaine : pour le client comme pour le dirigeant d'entreprise, le Web ouvre un grand éventail de possibilités. Il en a déçu plusieurs cependant et tarde à gagner la confiance des consommateurs. Il faut apprendre à l'utiliser en tenant compte de ses limites et de ses richesses.

Parmi les produits les plus fréquemment achetés par Internet se trouvent des logiciels et autres produits informatiques.

D'ailleurs, les logiciels à télécharger pour essai et les logiciels libres de droit peuvent être largement utilisés par les gestionnaires intéressés à les expérimenter. Que peut-on tirer de Linux et d'Apache? Un peu de curiosité s'il-vous-plaît, et si l'utilisateur a quelque peu de difficultés à se familiariser avec ce nouveau monde, il peut certainement demander à un adolescent… en attendant de consulter un spécialiste.

LE WEB : UN OUTIL QUI DEMEURE ESSENTIEL
lundi 7 octobre 2002
Jean Talbot

Est-ce qu'Internet peut m'aider à mieux gérer les relations avec ma clientèle, à ajouter de la valeur à mon offre de produits et services et à me faire gagner un avantage compétitif par rapport à mes concurrents?

À cette question, la réponse est OUI.

Prenons le cas des manufacturiers automobiles qui ne vendent pas directement en ligne leurs véhicules mais qui ont tous conçu des sites Web extrêmement perfectionnés.

Ces sites jouent un rôle fondamental dans le processus de vente en fournissant aux clients une information très complète sur les différents produits et toute une panoplie d'outils qui facilitent le processus d'achat, entre autres le calcul des paiements mensuels et la configuration des véhicules.

Un manufacturier qui n'aurait pas investi dans son site Web serait aujourd'hui désavantagé vis-à-vis de ses concurrents.

Microsoft ne vend pas directement ses logiciels sur Internet, mais a mis en place des bases de connaissances très complètes qui aident les clients à mieux utiliser les produits une fois qu'ils les ont installés sur leur ordinateur. Leur site Web permet également de réduire substantiellement les coûts du service après-vente et d'augmenter la satisfaction de la clientèle.

Une étape

Au moment d'évaluer la décision d'investir dans le développement d'un site Web, le gestionnaire de PME doit analyser en détail la façon dont il gère les relations avec sa clientèle.

Il lui faut identifier comment l'Internet peut améliorer une ou plusieurs des étapes qui mènent à la transaction de vente, soit en offrant plus de valeur au client, soit en réduisant les coûts pour l'entreprise.

Très souvent, lorsque l'on fait cet exercice, on se rend compte que les gains les plus grands ne sont pas reliés à la transaction de vente elle-même, mais plutôt aux autres étapes du processus.

De façon générale, les PME peuvent améliorer considérablement la gestion de leur relation avec la clientèle de deux façons : en révisant le contenu informationnel de leur site Web et en personnalisant la relation avec le client.

D'abord, du côté de la relation avec la clientèle, soulignons que, malheureusement, beaucoup de sites Web de PME ne sont pas très riches en information et, pire encore, les données qu'on y retrouve ne sont pas toujours actualisées.

Pourtant, un site Web demeure un moyen extrêmement efficace d'organiser et de présenter de grandes quantités d'informations aux clients. Il faut se rappeler que pratiquement toutes les entreprises ainsi que plus de 50 % de la population ont maintenant accès à Internet. Les clients s'attendent à y trouver l'information qu'ils cherchent.

La deuxième façon d'ajouter de la valeur à la relation client consiste à personnaliser le site Web, ce que très peu de PME ont réussi à faire convenablement.

Par personnalisation, on entend la capacité de traiter chaque client comme s'il était unique. Amazon.com est exemplaire à cet effet. À partir d'une analyse des achats antérieurs d'un client ainsi que des achats faits par les autres clients, Amazon est capable de présenter un site Web adapté à chacun. En fait, Amazon peut créer autant de sites Web différents qu'elle possède de clients.

Dans le cas du commerce de type entreprise à entreprise, les sites Web personnalisés permettent d'établir des liens d'affaires directs avec la clientèle existante en donnant accès, à partir du site Web, à toute l'information pertinente à la relation d'affaires (catalogue autorisé, prix négociés, rapports de gestion, prise de commande, soutien pour l'utilisation des produits, etc.).

Fidéliser la clientèle

De cette façon, les fournisseurs peuvent solidifier les liens avec leur clientèle, ajouter de la valeur à leur offre et éventuellement rendre plus complexe et coûteux le passage du client vers un autre fournisseur. Un site Web de qualité devient donc un excellent outil de fidélisation de la clientèle.

Au cours des dernières années, la facture de la technologie a beaucoup diminué. Il est maintenant possible pour les PME de mettre en place, à des coûts raisonnables, des sites Web que seules les grandes entreprises pouvaient auparavant se payer.

Cependant, une mise en garde s'impose. L'instauration d'un site Web de qualité exige tout de même des ressources non négligeables et peut représenter un défi technologique majeur.

Avant de s'embarquer dans l'aventure Internet, la PME doit se doter de l'expertise nécessaire, soit en l'acquérant elle-même, soit en faisant affaire avec un partenaire de confiance.

De plus en plus de clients veulent traiter de façon
électronique avec leurs fournisseurs.

Il est donc important que les PME se dotent d'une
stratégie Internet cohérente avec leurs objectifs
d'affaires.

Comme les coûts de la technologie ont diminué,
de telles stratégies sont de plus en plus accessibles
aux PME.

LES RISQUES D'UTILISATION D'INTERNET
mardi 20 mai 2003
Louise Martel

Les achats en ligne des consommateurs ont fait l'objet de plusieurs histoires d'horreur au cours des dernières années : marchandise non reçue, livraison non conforme aux attentes, utilisation par des tiers du numéro de carte de crédit de l'acheteur. Mythe ou réalité? Selon les experts, davantage mythe que réalité. Mais encore faut-il être vigilant et respecter un minimum de règles de prudence.

Qu'en est-il du côté du marchand? Une PME a-t-elle avantage à se lancer dans une aventure de commerce électronique, à utiliser Internet comme outil de commercialisation? S'expose-t-elle à des risques spécifiques?

Rappelons d'abord qu'il existe un lien étroit entre les notions de risque et d'opportunité. Saisir les opportunités quand elles se présentent, s'adapter aux nouvelles façons de faire et même aller au devant de certains changements est essentiel pour le succès de toute entreprise. Et si la poursuite de nouvelles opportunités entraîne nécessairement des risques, ne rien faire quand il aurait fallu agir est tout aussi risqué. Il en va donc du commerce électronique comme de la plupart des situations de gestion : il faut faire la part des opportunités et des risques. Certains éléments doivent être considérés à cet égard.

Les opportunités d'Internet comme outil de commercialisation sont nombreuses. En voici quelques-unes :
– accroître le volume d'affaires;
– améliorer le suivi des ventes et obtenir une rétroaction immédiate des clients;
– offrir un meilleur service à la clientèle;
– faciliter les transactions avec les fournisseurs et les clients;

– offrir aux clients actuels et potentiels des informations relatives aux produits et services offerts par l'entreprise;
– réduire les coûts; l'expérience démontre que les entreprises qui vendent leurs produits et services par Internet réalisent des économies de coûts de 5 à 10 %;
– accélérer la prise de commandes et la livraison des produits et services.

Si mesurer et contrôler les coûts relatifs à l'implantation et à l'utilisation des TIC (technologies de l'information et des communications) ainsi que demeurer concurrentiels sur le plan technologique représentent des défis importants pour la PME, d'autres situations qui relèvent davantage de la sécurité sont préoccupantes pour les chefs d'entreprises. Par exemple, comment protéger le réseau informatique des risques d'infiltration? Comment s'assurer que les parties sont de bonne foi? Quel est le risque de fraude par carte de crédit? À quel moment un contrat devient-il valide sur le plan juridique?

Selon Francis Beaudoin, directeur principal de la pratique de gestion des risques technologiques chez KPMG, les entreprises actives dans le commerce électronique font face aux cinq grandes catégories de risques décrites ci-dessous.

Disponibilité

Une information ou un système disponible est accessible et utilisable en temps voulu et de la manière requise par les utilisateurs autorisés. Le danger associé au fait d'être mal répertorié est un exemple de cette catégorie de risque qu'on ne doit pas négliger, pas plus que celui de subir une attaque d'un pirate informatique.

Intégrité

Une information intègre doit être non modifiable. Par exemple, un changement dans le nombre d'articles commandés par un client ne doit pas être possible puisqu'il peut occasionner des pertes importantes pour le marchand. Le système doit aussi être à l'abri des virus qui peuvent causer des dommages importants aux informations conservées sur un ordinateur.

Confidentialité

Les risques associés à la protection des renseignements personnels entrent dans cette catégorie. Les sources d'obtention d'information sur les clients se multiplient, notamment les déclarations volontaires lors de l'achat de produits, le recours aux témoins informatiques et la surveillance des sites de discussion. L'accès à ces renseignements personnels, que ce soit pour envoyer des messages fréquents aux clients ou encore pour vendre de tels renseignements, constitue un manquement grave aux principes du respect de la vie privée. Qui dit confidentialité dit authentification, d'où l'importance de l'utilisation et de la bonne gestion de codes d'utilisateurs et de mots de passe.

Les études sur le commerce électronique font ressortir clairement qu'un des facteurs qui ralentit l'expansion du commerce électronique est le manque de confiance des consommateurs dans ce mode transactionnel, particulièrement sur le plan de la sécurité et de la protection des renseignements personnels.

Non-répudiation

Cela désigne l'impossibilité de nier après coup qu'une transaction a eu lieu. Ainsi, le marchand doit conserver suffisamment de preuves électroniques pour être en mesure d'établir que la transaction a été effectuée, et ce, quelle que soit la juridiction dans laquelle l'échange a eu lieu.

Non-paiement

Le risque associé au non-paiement est le risque que le client ne paie pas la marchandise ou le service reçu parce qu'il a fraudé le marchand en donnant de fausses informations sur son identité, d'où l'importance pour le marchand de bien analyser les commandes avant de les accepter.

C'est en contrôlant les cinq catégories de risque qu'une entreprise peut offrir à ses clients un environnement sécuritaire.

Le marchand devrait fortement considérer de ne pas gérer lui-même le système de commerce électronique, mais plutôt de faire appel à un intermédiaire spécialisé dans ce domaine.

COMMENT PLANIFIER LA CRÉATION D'UN SITE WEB?

lundi 15 septembre 2003

Hugues Boisvert

Aujourd'hui, pour assurer la compétitivité d'une entreprise, tous s'accordent pour reconnaître l'utilité, voire la nécessité, de créer un site Web.

Cet outil technologique permet à l'entreprise d'avoir une plus grande visibilité, d'améliorer la performance d'activités déjà présentes (communication, information, promotion) ou de créer l'espace nécessaire à de nouvelles activités (approvisionnement, vente, paiement en ligne).

Pour qu'un site Web remplisse ses promesses, encore faut-il faire les bons choix parmi un éventail quasi illimité de possibilités! Comment procéder? Comment en créer un à son image? Combien faut-il investir? Après avoir analysé plus de 10 000 sites et réalisé plus de 100 études de cas, la Chaire internationale CMA sur les processus d'affaires a tenté de répondre à ces questions.

Notre travail a d'abord consisté à identifier les diverses fonctions que pouvait remplir un site. Une fonction correspond à un rôle précis que l'on veut faire jouer au site, comme celui d'identifier l'entreprise, d'annoncer des produits ou de réaliser des transactions.

Par exemple, la fonction la plus développée sur tous les sites est la fonction « identification ». En plus d'identifier l'entreprise, cette fonction vise aussi à donner confiance au visiteur en lui indiquant les coordonnées de l'entreprise, d'une personne-ressource ou encore du service à la clientèle, qu'il pourra joindre en cas de besoin.

La fonction « image », quant à elle, vise la promotion de l'entreprise. Ici, l'entreprise pourra y raconter son histoire, présenter sa mission et ses valeurs, souligner son implication dans la protection de l'environnement ou dans des causes sociales, inclure un mot du président, diffuser des communiqués de presse, présenter une revue de presse et même nommer ses partenaires d'affaires.

Cette première étape de la recherche nous a permis d'identifier 18 fonctions différentes que nous avons regroupées selon trois niveaux de complexité : les fonctions de « communication unidirectionnelle » (niveau 1) qui communiquent de l'information sans en recueillir, les fonctions « interactives » (niveau 2) qui communiquent et recueillent de l'information et les fonctions utilisant un « intranet ou extranet » (niveau 3). Ce regroupement est utile pour le dirigeant qui souhaite investir temps et argent dans le développement d'un site. Avant tout, il doit d'abord s'interroger sur le niveau de complexité souhaité. Le montant qu'il peut investir dans le développement du site devrait l'aider à répondre à cette question.

Nous estimons qu'une entreprise peut rentabiliser un investissement variant entre 15 000 $ et 25 000 $ si elle développe des fonctions de communication unidirectionnelle, un investissement de 50 000 $ si elle développe des fonctions interactives et un investissement supérieur à 100 000 $ si elle développe un intranet ou un extranet. Il faut également considérer qu'en plus des coûts liés à la conception du site s'ajouteront ceux de son entretien annuel qui correspondent en général à un montant équivalent à la somme investie.

Après avoir déterminé le niveau de complexité souhaitable, le dirigeant doit encore faire un choix parmi plusieurs fonctions. Comment faire? Quelles fonctions sont les plus intéressantes, en tenant compte d'un montant d'investissement donné? Selon nos recherches, c'est l'adéquation entre le rôle véhiculé par chacune des fonctions et le contexte d'affaires qui devrait avoir le plus d'influence sur ce choix.

Par exemple, pour un entrepreneur en construction le but premier d'un site Web ne sera pas de vendre des maisons en ligne mais plutôt de communiquer avec ses futurs clients, de les inciter à venir visiter ses maisons. Il voudra faire la promotion de son expertise, bâtir la confiance en ses capacités et en son produit. Il choisira alors des fonctions présentant un profil communicateur. Par contre, un magasin de détail mettra l'accent sur l'étendue de sa gamme de produits plutôt que sur ses compétences techniques. Le choix du dirigeant se portera alors sur les fonctions présentant un profil annonceur.

En fait, à l'intérieur de chacun des niveaux de complexité, les fonctions peuvent être regroupées, en fonction de leur rôle et de leurs objectifs, selon différents profils de développement que nous appelons des configurations. Ainsi, les fonctions de communication unidirectionnelle (niveau 1) peuvent être regroupées selon deux configurations, communicateur et annonceur, et les fonctions interactives (niveau 2), selon les configurations développeur et vendeur. Pour reprendre l'exemple de notre entrepreneur en construction, s'il optait pour le niveau 2 de complexité, de par la nature même de son contexte d'affaires, il n'adopterait pas un profil vendeur mais plutôt un profil développeur. Il pourrait ainsi recueillir de l'information sur les clients potentiels qui visitent son site, prendre des rendez-vous pour des visites éventuelles, etc. Bref, de l'interaction et du développement d'affaires, mais pas de vente.

En définitive, un site ne se construit pas « au petit bonheur ». Nos recherches nous démontrent que les sites qui semblent remporter le plus de succès sont ceux pour lesquels les concepteurs ont su cibler des axes de développement stratégiques. En premier lieu, c'est le niveau d'investissement qui doit déterminer le degré de complexité des fonctions que l'entreprise développera dans son site.

Puis, une fois le niveau d'investissement défini, l'entreprise doit cibler une configuration à développer.

Ce n'est qu'après avoir accompli ces deux étapes que l'entreprise établira un plan de développement des fonctions qui sont les plus appropriées au profil recherché.

Un site Web ne s'improvise pas.

En plus de faire connaître votre entreprise et vos produits, à quoi et à qui ce site servira-t-il?

Attendez-vous des réponses ou des commandes? Servira-t-il à mieux connaître votre clientèle potentielle?

Cliquez et visez juste.

L'EFFICACITÉ ET LA NAVIGABILITÉ D'UN SITE WEB : LA VITESSE POURRAIT VOUS TUER
lundi17 novembre 2003
Jacques Nantel

Le commerce électronique destiné aux consommateurs, bien qu'ayant subi des hauts et des bas au cours des dernières années, est de plus en plus présent dans le paysage commercial canadien.

Même s'il ne représente qu'un volume de vente de 3,7 milliards de dollars, soit moins de 0,7 % des ventes au détail au Canada, le commerce électronique devient un outil indispensable pour les commerçants. Ainsi, 60 % des ménages canadiens utilisent Internet et ce pourcentage s'élève à 54 % au Québec. En outre, 13 % des consommateurs qui utilisent Internet disent acheter des produits sur le Web, mais plus de 50 % affirment utiliser ce véhicule afin de s'informer avant d'acheter un produit en magasin.

Cette utilisation de plus en plus systématique d'Internet dans le processus décisionnel des consommateurs fait en sorte que les commerçants recourent davantage à cet outil. En 2002, 34 % des détaillants canadiens avaient un site Web et 11,4 % vendaient sur le Web. Pour les secteurs de la finance et des assurances, ces proportions étaient respectivement de 43 % et 8 %, par rapport à 51 % et 14 % pour le secteur de la culture et des arts.

Cependant, si l'activité commerciale sur Internet, qu'elle soit transactionnelle ou informationnelle, ne cesse de croître, force est de constater que les sites destinés aux consommateurs ne répondent pas toujours à leurs attentes. Une récente étude effectuée par le groupe e-tailing rapportait qu'à peine 3 % des consommateurs qui se rendent sur un site y achètent et que plus de 47 % des consommateurs abandonnent leur commande avant de la terminer (*cart abandonment*). De telles proportions suggèrent que trop de sites ne répondent pas aux besoins des consommateurs et s'adaptent souvent mal à leurs processus décisionnels.

Une autre étude récente, celle-ci publiée par la Chaire de commerce électronique RBC Groupe Financier (www.hec.ca/chairerbc), a permis d'identifier les principaux facteurs liés à la navigabilité d'un site à vocation commerciale. En outre, elle permet de mieux comprendre les raisons qui expliquent pourquoi des consommateurs terminent ou abandonnent la tâche qu'ils souhaitaient accomplir après être allés sur un site Web.

Entre autres choses, il en ressort que le postulat voulant que la rapidité avec laquelle un consommateur navigue sur un site soit le principal déterminant de la navigabilité de ce dernier, bien qu'intuitivement attirant, est empiriquement erroné. La littérature portant sur les comportements des consommateurs et leurs déterminants suggère que la qualité d'une offre commerciale est avant tout fonction de sa capacité de s'adapter aux processus décisionnels des consommateurs à qui elle est destinée. Transposant cette notion au domaine du Web, il s'agirait alors, pour un site, de pouvoir se fondre au processus décisionnel (ou de navigation) des consommateurs plutôt que de tout mettre en œuvre pour en minimiser le temps.

L'étude citée précédemment démontre que la durée nécessaire à l'accomplissement d'une tâche sur le Web, que ce soit en nombre de pages ou en temps de navigation, influe peu sur l'appréciation du site. Ces résultats, parmi les premiers à être fondés sur une approche scientifique, viennent nuancer certains postulats quant à l'importance systématique de rendre les sites Web aussi élaborés que possible. Les résultats démontrent que l'appréciation d'un site Web par des consommateurs est plutôt un processus en deux étapes. Dans un premier temps, le nombre de culs-de-sac que rencontrent ces consommateurs, c'est-à-dire le nombre de navigations qui ne mènent pas où ils souhaitaient ou croyaient aller, a un effet déterminant sur leur propension à terminer ou non une tâche. Plus un consommateur rencontre d'impasses, plus il a de chance d'abandonner sa tâche. Par la suite, le fait d'avoir pu ou non accomplir cette tâche, combiné au nombre de culs-de-sac rencontrés, détermine l'appréciation de la navigabilité d'un site.

Ces résultats sont importants puisqu'ils démontrent que le développement d'un site Web ne peut se faire uniquement en se fondant sur des principes d'ergonomie. Le rôle de l'utilisateur est central et doit être considéré dans toute conception. Nos analyses font clairement ressortir un fait patent. Ce que les consommateurs tentent de maximiser, c'est leur capacité d'entreprendre, de manière presque linéaire et en se trompant de chemin le moins souvent possible, la tâche qu'ils désirent accomplir. C'est cette fonction, et non simplement le temps requis ou le nombre de pages, qui doit être au cœur du développement de tout site Web. Autrement dit, nos résultats suggèrent qu'il serait possiblement plus opportun d'allonger un parcours de navigation si cela résulte en un nombre moindre de culs-de-sac et de fausses inférences de la part des utilisateurs. En bref, quelle que soit l'autoroute, réelle ou virtuelle, la vitesse peut être dangereuse.

> La clarté et la précision du chemin, voilà ce que l'utilisateur du Web souhaite.
>
> Ce dernier n'a pas de temps à perdre, et votre concurrent est à un clic près.

LA PUBLICITÉ SUR LE WEB :
À LA CROISÉE DES CHEMINS [1]
Jacques Nantel

Le Web ne cessera jamais de nous étonner. Alors que plusieurs gestionnaires croyaient que son impact sur le commerce serait au mieux négligeable, voire négatif, voici qu'il remplit plusieurs des promesses faites voilà déjà trois ans. Ainsi, tant le nombre d'usagers que l'utilisation moyenne par usager ne cessent de croître. L'utilisation commerciale du Web ne cesse de croître, elle aussi, dépassant même certaines prévisions jugées trop optimistes il y a à peine deux ans de cela.

De là à croire que tout est beau au royaume du commerce électronique il n'y aurait qu'un pas qu'il faut bien se garder de franchir. En effet, une fausse note vient assombrir le potentiel du commerce électronique, celle de la publicité sur Internet. En cela, la publicité sur le Web demeure un paradoxe pour bien des gestionnaires.

> Si l'on considère la quantité de publicités qui apparaissent annuellement sur les écrans des internautes nord-américains, on serait porté à croire que l'industrie de la publicité sur le Web se porte bien.

De 180 milliards d'occurrences en 2000, l'industrie est passée à plus de 850 milliards en 2003, ce qui représente une hausse de 350 %. Cette augmentation s'explique en bonne partie par la croissance de la fréquentation du Web au cours de cette même période.

1. Cette chronique est un condensé de deux chroniques parues sous les titres et aux dates suivantes :
– *La publicité sur le Web à la croisée des chemins*, lundi 19 janvier 2004;
– *La publicité sur le Web à la croisée des chemins (2)*, lundi 26 janvier 2004.

En effet, en 2000, 137 millions de Nord-Américains s'adonnaient à Internet, alors qu'en 2003, ils étaient 188 millions, soit une augmentation de 22 %. Le nombre moyen de sites visités par semaine s'est accru de 240 %, passant de 41 en 2000 à plus de 150 en 2003. Bien que l'augmentation importante de l'activité publicitaire laisse à penser que l'industrie est en croissance, les revenus publicitaires sur Internet, eux, sont passés de 8 milliards de dollars en 2000 à moins de 6 milliards en 2002, ils ont donc subi une baisse de 25 %!

Deux raisons expliquent ce paradoxe apparent. La première a trait à la croissance du nombre de sites qui, de 2000 à 2003, étaient à la recherche d'annonceurs. L'augmentation du nombre de sites, combinée à une baisse généralisée des budgets totaux dévolus par les entreprises à la publicité, a eu pour effet de réduire le prix demandé par un site pour y afficher une publicité. Ce prix (ou coût), que l'on désigne par l'acronyme CPM [2], soit le montant facturé par un site chaque fois que mille internautes naviguent sur une page contenant la publicité en question, est ainsi passé d'un taux moyen de 25 $ en 2000 à moins de 2,20 $ à la fin de 2002. C'est le jeu classique de l'offre et de la demande.

La seconde raison pouvant expliquer cette chute est plus profonde. Elle a trait à la baisse constante depuis 1997 du taux de clics (Click Through Rate ou CTR), c'est-à-dire le pourcentage des consommateurs qui, après avoir lu une publicité, cliquent sur l'occurrence afin de se rendre sur le site de l'annonceur. Alors que le taux de clics moyen était de 0,02 (2 %) en 1997, il n'était plus que de 0,0026 (0,26 %) en 2003. Par conséquent, en 2003, pour rabattre sur le site de l'annonceur le même nombre de consommateurs qu'en 1997, il fallait afficher environ 10 fois plus de publicité qu'avant, phénomène qui a entraîné une réduction par 10 (voire un peu plus) du CPM. Somme toute, le coût pour attirer un consommateur jusque sur le site de l'annonceur demeure

2. CPM : coût par mille.

identique. L'activité publicitaire a beau être en croissance, les revenus publicitaires du Web, eux, n'augmentent pas.[3]

Cet ajustement presque parfait du coût d'une publicité par 1000 consommateurs (CPM) en fonction du pourcentage de visiteurs attirés sur le site de l'annonceur (taux de clics) est révélateur. Par l'importance qu'ils accordent au taux de clics, les annonceurs signalent très clairement le fait qu'ils considèrent Internet d'abord et avant tout comme un média apte à accroître la propension des consommateurs à agir (chercher de l'information, s'inscrire, acheter, etc.) et non pas comme un moyen dont le but est d'augmenter la notoriété ou de parfaire l'image d'un produit. En définitive, ce qui compte pour eux, ce n'est pas que les consommateurs potentiels aient vu l'annonce, mais bien qu'ils se rendent jusqu'au site.

Cette réaction de la part des annonceurs est saine puisqu'elle signifie qu'ils ont compris le rôle proactif que jouent les consommateurs sur le Web. Contrairement aux autres médias, les consommateurs peuvent, sur Internet, contrôler le contenu auquel ils s'exposent.

> Ce renversement de situation force dorénavant l'industrie à se remettre en question, à considérer deux avenues fort différentes en ce qui a trait à l'utilisation d'Internet à des fins publicitaires.
> Les annonceurs devraient-ils viser à inonder le consommateur en se disant que l'efficacité est dans le nombre ou devrait-ils plutôt tenter d'adopter une approche plus personnalisée? La publicité sur le Web se retrouve donc à la croisée des chemins.

---

3. En 1997 : 1000 consommateurs _ 2 % (CTR) = 20 consommateurs rejoints à un coût de 25 $ fi 25 $ ÷ 20 = 1,25 $/ consommateur.
   En 2003 : 1000 consommateurs _ 0,26 % (CTR) = 2,6 consommateurs rejoints à un coût de 2,20 $ fi 2,20 $ / 2,6 = 0,846 $ / consommateur.

La première approche suppose que la croissance viendra de la seule augmentation de l'achalandage sur l'Internet et de l'exposition accrue, fut-elle forcée, des consommateurs à des messages publicitaires. À l'égal des autres médias, on affirme que la publicité est, par nature, disruptive et que son efficacité est tributaire du nombre de consommateurs rejoints, peu importe qu'ils le souhaitent ou non.

Deux stratégies découlent de cette approche, il s'agit du pollupostage (*spamming*) et des fenêtres publicitaires (*pop-ups*). Dans les deux cas, l'insistance que mettent les annonceurs à rejoindre un nombre grandissant de consommateurs à un coût unitaire de plus en plus faible a pour effet d'accroître le retour sur capital de la publicité Web. Ainsi, on peut désormais envoyer un courriel à partir d'une liste de plus d'un million d'internautes pour aussi peu que 10 000 $, soit à peine un sou par consommateur. La rentabilité d'une telle action, même avec un taux de clics aussi faible que 0,1 %, devient intéressante. Quant aux fenêtres publicitaires, que les consommateurs jugent trois fois plus dérangeants que les publipostages et neuf fois plus que les annonces télévisées, ils accroissent néanmoins les taux de clics par un multiple de 10. Bien entendu, une partie importante de ceux qui cliquent sur de telles pubs le font afin de fermer la fenêtre mais qu'importe, pourvu que le message passe!

À l'inverse de l'approche disruptive, une autre, davantage ciblée et misant sur la personnalisation du message, est en forte émergence. Cette approche, plus subtile et qui vise à inciter les consommateurs à considérer le message qui leur est destiné, accroît également le coût par clics. Trois méthodes sont généralement employées.

La première, le marketing par permission, est basée sur l'envoi de courriels. Cette approche contraire au pollupostage veille à rejoindre uniquement les consommateurs qui ont donné leur accord pour recevoir une telle publicité (liste d'inclusion ou *opt-in*).

Alors qu'en moyenne seulement 6,4 % des consommateurs ouvrent un courriel à caractère publicitaire (sans garantir qu'ils iront visiter le site ainsi publicisé), ce taux grimpe à plus de 30 % lorsque le message est personnalisé.

La deuxième méthode a trait au placement de publicités sous forme de liens commandités combinés avec des moteurs de recherche, par exemple sur des sites tels que Google ou celui du New York Times. C'est celle qui, actuellement, gagne le plus en popularité. Alors qu'au-delà de 41 % des internautes utilisent les moteurs de recherche afin de trouver une information ou un produit, cette approche publicitaire, à l'opposé des autres, offre l'avantage de ne pas créer d'interférence avec le processus de recherche des consommateurs. Aussi, elle a le mérite de rejoindre ceux que leurs produits intéressent, donnant alors une valeur plus grande au CPM payé par l'annonceur. Les publicités ainsi placées à l'intérieur des moteurs de recherche ont pour effet d'augmenter le taux de clics à un seuil moyen de 18 %.

Finalement, la troisième méthode est liée au profilage des consommateurs. Cette approche est largement tributaire de l'utilisation de témoins de connexion (*cookies*) qui permettent à une entreprise de suivre les déplacements des consommateurs sur Internet. Ce suivi, nommé profilage, permet d'inférer les préférences des internautes. Deux personnes pourraient ainsi arriver sur le site X en même temps et se voir présenter des publicités différentes. En jouant sur la personnalisation, cette approche, tout comme la précédente, a pour effet d'accroître l'intérêt du consommateur envers la publicité ce qui, en principe, se traduira par une augmentation du taux de clics (CTR).

Somme toute, les annonceurs intéressés par le Web ont deux choix. D'une part, ils peuvent inonder le paysage publicitaire virtuel. Ils atteindront ainsi beaucoup de consommateurs parmi lesquels très peu leur manifesteront de l'intérêt. D'autre part, ils peuvent plutôt tenter d'établir des stratégies de marketing relationnel et adapter leur offre à chaque consommateur. Une telle approche présuppose que l'on rejoigne moins de consommateurs tout en espérant générer un niveau d'intérêt plus élevé.

Mais choisir n'est pas simple puisque, sur le plan monétaire, les deux approches s'équivalent. Comme les publicités non ciblées offrent un faible taux de clics, leur prix pour rejoindre 1 000 consommateurs (CPM), est relativement faible. À l'inverse, les publicités ciblées coûtent plus cher mais offrent aussi un taux de clics plus élevé.

En définitive, comme ce n'est ni le coût initial d'une campagne ni même sa rentabilité qui sauront faire pencher la balance, il faut chercher la réponse ailleurs… possiblement du côté des consommateurs. En effet, lorsque ceux-ci ne voudront plus naviguer dans Internet de peur de voir leur ordinateur pris d'assaut par des milliers de fenêtres publicitaires ou qu'ils ne voudront plus regarder leur courrier électronique à la perspective de passer un temps fou à trier les quelques messages intéressants dissimulés sous un amoncellement de pourriels, alors peut-être que des stratégies plus personnalisées, plus subtiles et surtout moins envahissantes seront adoptées, en espérant seulement qu'il restera encore quelques internautes en ligne.

À cet égard, une menace encore plus importante, celle des logiciels espions (*spywares*), a désormais pris le pas sur les approches publicitaires Web. Ainsi, quelqu'un qui a récemment téléchargé sur son ordinateur un logiciel gratuit, possiblement du type qui permet d'obtenir gratuitement de la musique, Kazaa par exemple, a probablement installé, à son insu, un logiciel espion.

Ces petits logiciels, pratiquement indétectables, espionnent le contenu de votre ordinateur et ce que vous y faites. L'information est par la suite revendue à des entreprises qui envahissent votre ordinateur afin de vous bombarder de publicité. De tels logiciels espions sont généralement introduits dans votre ordinateur sans votre permission. Ce sont des programmes actifs (contrairement aux témoins de connexion) qui enregistrent tous vos déplacements sur le Web et qui peuvent, en principe, récupérer tout ce que vous saisissez sur le clavier, tels que nom, prénom, adresse, mots de passe, etc.

Si vous vous demandiez comment Kazaa se finance, vous avez la réponse! Tel qu'on le dit si bien : *There is no such thing as a free lunch*. Lorsque vous téléchargez Kazaa ou un autre logiciel du genre, des conditions apparaissent à l'écran. En principe, dans ces conditions que nous sommes sensés lire mais que moins de 2 % de la population regarde, on mentionne le fait qu'un logiciel espion va être téléchargé par le fait même, mais on explique rarement quel sera son usage.

Pire encore. Ce n'est en fait que la partie visible de l'iceberg. En effet, sur une série de tests effectués dans le laboratoire de la Chaire de commerce électronique RBC Groupe Financier, nous avons constaté qu'à l'installation du logiciel Kazaa, plus de dix logiciels espions s'installent alors que le site ne fait référence qu'à deux. Quand on sait qu'en date de juin 2003, le seul logiciel Kazaa avait été téléchargé 228 millions de fois et qu'à chaque semaine, 2,5 millions de téléchargements supplémentaires se rajoutent, on réalise l'ampleur du phénomène.

D'un strict point de vue marketing, cette approche pourrait être qualifiée de géniale puisqu'elle permet, en espionnant les agissements des consommateurs, de leur proposer, en temps réel et sur-le-champ, exactement ce qu'ils recherchent. Ainsi, si votre ordinateur renferme un tel logiciel espion, attendez-vous à voir apparaître, au fur et à mesure que vous naviguez, des publicités très ciblées mais non sollicitées.

Vous cherchez un hôtel à Paris et utilisez un moteur de recherche afin de vous aider? Ne soyez pas surpris de voir apparaître à votre écran, avant même les résultats de votre recherche, la publicité d'un grand hôtel parisien. Vous tapez l'adresse du site de votre marque de voiture favorite? Vous risquez de voir apparaître à l'écran la publicité de son principal concurrent.

En espionnant, en temps réel, les comportements des consommateurs, les logiciels espions arrivent à ajuster l'offre publicitaire comme jamais auparavant. En principe, un publicitaire pourrait désormais interpeller un internaute de manière très personnalisée : « *Cher monsieur Tremblay, depuis 42 minutes et 18 secondes vous avez parcouru 27 sites à la recherche d'information sur les terrains de golf en Arizona. Ne cherchez plus, nous avons une offre imbattable à vous proposer* ».

Cette approche, qui constitue en quelque sorte le nirvana du marketing, n'est pas sans soulever certaines interrogations.

En premier lieu, se pose la question d'éthique découlant de l'envahissement de la vie privée des consommateurs. Puisqu'une telle approche publicitaire revient, à titre d'exemple, à faire apparaître dans votre cuisine, au moment où vous feuilletez une recette de poulet au cari, un vendeur d'épices fines. Il y a tout lieu de se demander jusqu'à quel point les consommateurs se sentiront à l'aise vis-à-vis d'une telle invasion de leur intimité, aussi bien adaptée et bien « intentionnée » soit-elle. D'autant plus que cet envahissement peut causer beaucoup de tort : ralentissement de l'ordinateur et de la connexion Internet, affichage abusif de messages publicitaires, destruction de certains fichiers systèmes nécessaires au bon fonctionnement de votre ordinateur.

En second lieu, la question de la nature même des stratégies marketing de l'avenir est soulevée. Jusqu'à la fin des années 70, le marketing et la publicité de masse dominaient. Puis, est apparu le marketing direct ou marketing relationnel. Dans cette forme de marketing, les clients intéressants sont ciblés de manière plus précise. Des fichiers-clients sont utilisés afin de parfaire les stratégies commerciales qui prennent la forme de télémarketing ou encore de courriels. Mais, peu importe la stratégie utilisée, les consommateurs étaient vus comme des cibles passives que l'on cherchait à atteindre, à stimuler, à provoquer.

Avec le Web, les rôles se sont inversés. Soudain, le consommateur est devenu actif, il peut naviguer afin de trouver le produit ou le service qui lui convient. Conscients que désormais le contrôle reviendrait aux consommateurs, certains publicitaires se sont ainsi adaptés aux processus de recherche de ceux-ci, d'où l'idée d'insérer des publicités sur les moteurs de recherche.

Cette approche offre le mérite de proposer une publicité adaptée aux processus décisionnels des consommateurs plutôt que de la leur imposer de manière plus ou moins opportune. Cependant, alors qu'avec les moteurs de recherche, le consommateur qui donne de l'information sur ce qu'il recherche le fait en connaissance de cause et sur un site précis (Google, la Toile du Québec, Alta Vista, Yahoo, etc.), les logiciels espions, eux, capturent non seulement davantage d'information, mais ils le font à l'insu des consommateurs.

Plusieurs grands noms figurent parmi les clients des sociétés éditrices des logiciels espions, tel que Dell, eBay, AmericanExpress ou encore Hotel.com. À titre d'exemple, la firme Dell a vendu en septembre dernier près de 4 millions de dollars US d'ordinateurs à l'aide du logiciel espion n-Case. Dans ce cas, à chaque fois qu'un utilisateur saisissait un mot clé faisant référence à du matériel informatique sur un moteur de recherche et qu'il cliquait sur le résultat, une fenêtre s'affichait alors automatiquement annonçant l'offre de Dell, court-circuitant ainsi l'affichage des résultats de la recherche.

Si cette pratique n'est pas illégale en soit, elle soulève des questions. Nombreux sont ceux qui la jugent particulièrement pernicieuse, car elle amène les consommateurs à se livrer aux publicitaires, et ce, à leur insu. Et les vendeurs des logiciels espions passent aussi à la caisse. Par exemple, en 2003 seulement, la firme 180 Solutions.com, par son logiciel n-Case, a généré des revenus de 18 millions de dollars US et ceux-ci croissent de 10 % par mois. Ces revenus sont générés en fonction du nombre de consommateurs qu'une publicité peut rejoindre, donc, du nombre d'ordinateurs infectés.

Si l'on se place du point de vue des professionnels en marketing, l'avènement des logiciels espions est une bénédiction. En effet, cette approche permet désormais de ne cibler que les consommateurs les plus intéressants et possiblement les plus payants.

Si, par contre, on se place du point de vue du consommateur, la réalité est différente. Voilà que désormais, sur Internet, chacun de nos gestes peut être épié, les sites que l'on visite, les mots, noms et adresses que l'on écrit peuvent être interceptés, et ce, en toute légalité. Si, en principe, cette violation de l'intimité peut être profitable aux consommateurs en les amenant plus rapidement là où ils souhaiteraient aller, elle n'en demeure pas moins consternante puisqu'en fin de compte, ces mêmes consommateurs perdent pratiquement tout contrôle sur l'information qui est la leur.

Faute d'une prise de conscience majeure de la part des internautes, le nirvana du marketing pourrait bien devenir l'enfer des consommateurs.

LE POUR ET LE CONTRE DES LOGICIELS LIBRES
lundi 28 avril 2003
Jean Talbot

Le mouvement des logiciels libres, jusqu'à tout récemment le territoire exclusif des accros de l'informatique, commence à faire une percée sérieuse dans le monde des affaires et de l'informatique en entreprise.

La plupart des grands manufacturiers d'ordinateurs et éditeurs de logiciels ont transformé leurs lignes de produits pour les adapter au système d'exploitation LINUX, le plus connu des logiciels libres. IBM y investira plus d'un milliard de dollars US. Le célèbre pingouin représentant LINUX a même fait la une du très conservateur magazine *Business Week*.

Un logiciel libre est habituellement développé de façon bénévole par une communauté de programmeurs et rendu disponible gratuitement sur Internet aux utilisateurs potentiels. En plus d'être gratuit, un logiciel libre permet à ses utilisateurs de l'utiliser, de le modifier et de le distribuer comme bon leur semble.

Pour ce faire, le code source, c'est-à-dire les instructions du programme informatique, doit être disponible. Sans un accès à ce code, l'utilisateur ne peut comprendre le fonctionnement exact du programme ni le modifier selon ses besoins.

Une entreprise qui décide d'adopter un logiciel libre peut généralement se le procurer en le téléchargeant gratuitement dans Internet. Elle peut ensuite l'installer sur autant d'ordinateurs que nécessaire, le modifier pour l'adapter à ses besoins et le transmettre à d'autres entreprises sans aucune contrainte.

Il s'agit d'une approche très différente lorsqu'on la compare à celle des logiciels commerciaux pour lesquels le code source n'est pas disponible et où des licences très strictes régissent l'installation et la distribution des copies.

Le nombre de logiciels libres s'est multiplié au cours des dernières années à tel point qu'aujourd'hui, une entreprise peut pratiquement construire toute son infrastructure technologique à partir de ce type de logiciels.

Pour illustrer le propos, une PME pourrait s'acheter des ordinateurs IBM ou Dell équipé avec le système d'exploitation GNU/LINUX puis utiliser MySQL comme serveur de bases de données, SendMail comme serveur de courrier électronique, APACHE comme serveur Web, StarOffice comme suite bureautique, PHP comme langage de programmation pour développer des applications Internet et Compierre comme ERP (logiciel intégré supportant les processus d'affaires).

Tous ces logiciels sont disponibles pour téléchargement dans Internet. La question que les dirigeants de PME doivent se poser : l'infrastructure qui en résultera sera-t-elle fiable et performante?

Les entreprises doivent considérer les logiciels libres dans leurs décisions technologiques pour les raisons suivantes :
1. Plusieurs de ces logiciels, entre autres GNU/LINUX, APACHE, MySQL, PHP et SendMAIL ont atteint la masse critique nécessaire pour éliminer le risque que le projet disparaisse du jour au lendemain et assurer que l'expertise soit disponible. Selon une étude de IDC, 14 % de tous les serveurs fonctionnent avec LINUX et ce pourcentage devrait atteindre 25 % en 2006. De même, on estime que de 50 % à 65 % des sites Web fonctionnent avec le serveur APACHE.

2. Plusieurs entreprises telles que Amazon, Yahoo et E*Trade, dont la survie même dépend d'une infrastructure technologique performante et sûre, ont adopté Linux. Ce qui démontre que ces logiciels sont prêts pour une utilisation corporative dans des systèmes vitaux.

3. Le système d'exploitation LINUX a maintenant l'appui des grands manufacturiers d'ordinateurs et éditeurs de logiciels assurant ainsi un niveau de soutien élevé.

4. Plusieurs études ont démontré que les logiciels libres LINUX et APACHE sont aussi fiables et performants que les logiciels commerciaux équivalents. Le site Web http://www.dwheeler. com synthétise un grand nombre d'études quantitatives sur les logiciels libres.

5. Finalement, la dernière raison, mais non la moindre, est le coût. Plusieurs analyses indépendantes concluent que le coût d'une infrastructure technologique est moindre si elle est bâtie avec des logiciels libres. Par exemple, Cybersource a modélisé une entreprise de 250 utilisateurs et est arrivé au résultat qu'il est possible de réaliser 35 % d'économie en utilisant une solution Linux / logiciels libres par rapport à une solution propriétaire Microsoft.

Cependant quelques mises en garde s'imposent avant d'aller de l'avant avec les logiciels libres :

1. S'assurer que les logiciels libres qui nous intéressent ont atteint la masse critique nécessaire.

2. Les logiciels libres sont moins intégrés entre eux que les produits d'une même compagnie peuvent l'être, ce qui peut entraîner des coûts supplémentaires lors du développement des systèmes d'information organisationnels.

3. Le monde des logiciels libres peut sembler passablement complexe pour un non-initié. Par exemple, lorsqu'une entreprise décide d'acheter Windows, elle sait par définition qu'elle fera affaire avec Microsoft. Par contre, si elle décide d'adopter LINUX, elle doit choisir parmi une cinquantaine de fournisseurs différents.

4. Il existe à ce moment-ci très peu d'applications d'affaires (comptabilité, gestion de la clientèle, approvisionnement) qui sont des logiciels libres et de nombreux fournisseurs commerciaux n'ont pas encore migré leurs applications sur LINUX.

5. Il existe des différences subtiles dans les licences d'utilisation des logiciels libres. L'entreprise doit bien comprendre les implications.

En conclusion, les logiciels libres populaires tels que LINUX et APACHE sont maintenant des solutions de rechange viables aux logiciels commerciaux et doivent être inclus dans le processus décisionnel. Cependant, une analyse très sérieuse des fonctionnalités, de la performance et de la fiabilité du logiciel doit être faite pour ceux qui sont moins connus.

> Les logiciels libres ont atteint au cours des dernières années une maturité telle qu'ils constituent maintenant une solution de rechange intéressante aux logiciels propriétaires.

4.
RECONNAÎTRE SON ART : DIRIGER

Peut-on apprendre à diriger? La question aurait passionné Shakespeare. Diriger relève-t-il de l'art, de la science ou du charisme? À moins qu'il ne faille devenir un monstre à trois têtes pour y parvenir totalement. Serait-ce une question de sens commun ou de valeurs profondes? Fruit de la froide raison ou de la passion?

Le dirigeant s'interroge sur plusieurs sujets concernant son entreprise, mais n'aurait-il pas quelques minutes à se consacrer et à réfléchir sur qui il est et qui il veut devenir?

Dans le quotidien, le leadership serait-il essentiellement la capacité d'imposer son autorité? Et de quelle autorité s'agit-il? Celle de la compétence? Celle de rallier son monde à une vision particulière? Un dirigeant tout seul, c'est plutôt triste, mais ce n'est surtout pas la réalité. Le dirigeant de PME est aussi celui qui recrute des personnes et leur confie des responsabilités de direction à l'intérieur de son entreprise. À ses cadres, il reconnaît certes du potentiel et espère qu'ils investiront leurs compétences et se développeront en tant que personnes et en tant que ressources pour les employés.

Il est encourageant de savoir que l'on n'a pas à tout savoir, et que l'on peut apprendre, et que l'on peut se tromper et apprendre de ses erreurs. De qui, de quoi un dirigeant a-t-il besoin? D'une oreille, de bons yeux, et d'un brin de folie... semble-t-il!

PEUT-ON APPRENDRE À DIRIGER?

lundi 5 mai 2003
Francine Harel-Giasson

Certains considèrent l'habileté à diriger comme un talent naturel qu'on a ou qu'on n'a pas.

En observant des personnes qui réussissent dans des fonctions de direction, on nuance pourtant cette conception.

Nous connaissons tous quelques dirigeants ou dirigeantes qui, après des débuts sous le signe de l'indécision et des maladresses, sont parvenus à assumer leurs responsabilités de façon très correcte, parfois même avec un brio qui n'a pas manqué d'étonner leur entourage.

Pour certaines PME qui n'ont pas accès à un large bassin de candidats pour les postes de direction ou qui doivent composer avec des considérations familiales, ce constat suggère qu'on doive y penser à deux fois avant d'exclure à jamais une personne des postes de direction. Peut-être cette personne pourrait-elle apprendre?

Et pour apprendre, il faut d'abord le vouloir. Une soif constante d'amélioration caractérise les gens qui en viennent à se surpasser dans l'exercice de leur rôle de dirigeant. Il ne suffit pas, en effet, d'accumuler les années d'exercice de la direction pour que l'apprentissage se fasse comme par magie.

Certains individus, pour qui avoir 20 ans d'expérience signifie simplement avoir passé 20 ans à répéter les mêmes erreurs, ne sont vraisemblablement pas animés d'un grand désir d'apprendre. Le terrain n'est pas fertile.

Ouvrir les yeux

Si on en croit leurs témoignages, ceux qui réussissent sont de grands observateurs. Ces hommes et ces femmes nous parlent, par exemple, de leur premier patron, de qui ils ont retenu une façon efficace de communiquer avec leur équipe, d'une collègue qui a développé patiemment son réseau de contacts, d'un officier militaire qui ne proposait jamais un programme d'intervention sans l'accompagner d'un programme de rechange en cas de défaillance du premier.

Ils ont observé ces façons de faire, les ont jugées exemplaires et les ont intégrées progressivement dans leurs propres pratiques.

Ouvrir les oreilles

Les personnes qui s'améliorent sans cesse ont aussi les oreilles grandes ouvertes. Attentives aux commentaires qu'elles reçoivent d'un patron, d'un collègue, d'un subordonné ou d'un accompagnateur professionnel, elles se demandent quels enseignements constructifs elles peuvent en tirer. Elles ne se placent pas d'entrée de jeu sur la défensive. Leur première réaction est plutôt de saisir au passage l'occasion de s'améliorer.

Ces personnes savent également demander conseil de façon proactive. Dans le doute, plutôt que de foncer dans l'action avec une assurance simulée, elles ont le réflexe de prendre avis auprès de la personne qui leur paraît la plus apte à leur donner une opinion éclairée en la matière.

C'est ainsi, par exemple, que certains dirigeants de PME savent trouver auprès de l'un ou l'autre membre de leur conseil d'administration ou de leur conseil consultatif, des avis qui leur permettent de mieux s'acquitter de leurs responsabilités.

Les bons dirigeants sont en outre unanimes à déclarer qu'ils ont beaucoup appris de leurs erreurs. Chacun a quelques anecdotes inoubliables à raconter à ce propos. Elles illustrent le fait que l'erreur fouette la personne désireuse de réussir et la pousse fortement à réfléchir pour trouver les causes de son échec et les moyens de faire mieux la prochaine fois.

Quant à leurs bons coups, les dirigeants, à tort ou à raison, ne les mentionnent pas souvent comme sources de leurs apprentissages. Il demeure toutefois vraisemblable que les expériences de succès jouent un rôle prépondérant dans l'acquisition de la confiance en soi tellement nécessaire à l'exercice de la direction.

Suivre des cours

Il existe également toute une série de cours qui peuvent contribuer à l'acquisition des habiletés de direction. Ils sont offerts par des établissements d'enseignement, des organismes, des associations ou des consultants.

Utilisant principalement des études de cas, des simulations ou des jeux de rôles, ces cours constituent en quelque sorte des occasions d'apprentissage en atelier protégé.

En plus de contribuer au développement du sens de l'observation, de l'écoute des autres et de la réflexion sur ses propres comportements, ils peuvent également augmenter de façon significative la capacité d'apprendre sur le terrain par la suite.

Et le talent?

Bien sûr, tous ne partent pas avec un égal talent et nul ne niera que, dans l'art de diriger comme dans les autres formes d'art, le talent permet un indéniable raccourci vers le succès.

Ce serait toutefois manquer de rigueur que de se refuser à reconnaître qu'à partir d'un niveau donné de talent, il est toujours possible de s'améliorer et même de découvrir des facettes de son potentiel qui n'avaient pas encore eu l'occasion de se manifester.

Dans certains cas, ce progrès accompli pourra largement suffire à l'exercice réussi d'une fonction de direction. Dans les autres cas, il faudra avoir le courage de prendre la désagréable décision qui ne manquera pas de s'imposer. Il y aura eu erreur sur la personne.

Oui, on peut apprendre si on le désire vraiment.

Les occasions sont souvent à portée de main, mais il faut s'acharner à en tirer profit.

Certains se condamnent à répéter sans cesse les mêmes erreurs par paresse, par manque d'ambition ou par fatuité.

L'APPROCHE DU FONDATEUR :
« GROS BON SENS » OU LEGS DU PASSÉ?
lundi 25 novembre 2002
Veronika Kisfalvi

Tout le monde est d'accord. Le propriétaire-fondateur d'une PME exerce une influence énorme sur les orientations de son entreprise : la plupart du temps, il est non seulement l'actionnaire majoritaire, mais, en général, il occupe aussi la plus haute fonction de direction. L'entreprise est un peu son enfant, il y a mis son cœur et ses tripes, souvent toutes ses économies. Il est normal qu'il veuille avoir son mot à dire dans toutes les décisions importantes.

Mais qu'est-ce qui influence les choix que l'entrepreneur favorisera? Pourquoi met-il l'accent sur certains aspects de la gestion de l'entreprise et pas sur d'autres?

Les recherches que j'ai menées auprès des entrepreneurs me disent que les expériences personnelles et la subjectivité jouent un rôle déterminant dans leur processus de décision. En voici deux exemples.

Roger le survivant

Roger est le fondateur d'une entreprise dont le chiffre d'affaires annuel atteint les 40 millions de dollars. Il a vécu une enfance précaire. Sa famille était persécutée pour ses croyances religieuses et son père devait travailler d'arrache-pied afin d'apporter à sa femme et à ses enfants le nécessaire pour survivre.

Un peu plus tard, au début de la vingtaine, Roger a fait un long séjour dans un camp de concentration. Il doit sa survie à l'énergie de sa jeunesse combinée à une habileté hors du commun pour

identifier les ressources rares, négocier et faire des échanges...
Des affaires, quoi!

Aujourd'hui, des années plus tard, Roger est allergique à la paresse
et au gaspillage. Son credo de gestionnaire se résume ainsi : croissance financée surtout par le réinvestissement des bénéfices,
recherche des meilleures occasions, négociations continuelles,
innovations constantes, contrôle des coûts très strict et centra-
lisation des décisions.

Son fils et son personnel de direction ont essayé de faire valoir
d'autres options et de l'encourager à adopter un style de direction
plus participatif, rien n'y fait. Sa lutte personnelle pour sa survie a
tout simplement été transférée à la survie de son entreprise. Quand
on lui demande pourquoi il gère de cette façon, il répond que sa
façon de faire est tout à fait normale, c'est une question de gros
bon sens.

François l'aventurier

Maintenant, examinons le cas de François.

Durant son enfance, sa famille a déménagé régulièrement, au gré
de la bonne fortune de son père. Mais il n'a pas souffert de tous ces
déplacements. Il n'a jamais eu le sentiment d'être déraciné. La
présence de sa mère, la fidélité de cette dernière envers sa famille,
sa constance, ont créé chez lui un profond sentiment de sécurité et
de confiance. Les déménagements étaient des aventures, des
occasions de découvertes et d'apprentissage.

Son attitude comme entrepreneur est marquée par cette période
de sa vie. Il saute sur toute occasion qui s'offre à lui, n'hésite pas
à emprunter et utiliser l'argent des autres. Hyperactif, François n'a
jamais ressenti le besoin de se caser, de ne faire qu'une chose à la
fois.

Il abandonne facilement les projets qui ne semblent plus porteurs pour se lancer dans de nouvelles aventures. Il aime le risque et prend parfois des décisions qui feraient dresser les cheveux sur la tête de Roger. Pour François aussi, sa façon de fonctionner est une affaire de gros bon sens.

Des univers différents

Les univers subjectifs de ces deux entrepreneurs sont très différents. Roger perçoit le monde comme étant dangereux. Pour y survivre, toute personne doit se protéger. Selon lui, il ne prend que des risques calculés. Quant à François, c'est le contraire. Faire des affaires constitue un jeu et il n'hésite pas à tirer sur l'élastique.

Clairement, les expériences personnelles influencent fortement les orientations stratégiques de nos deux entrepreneurs.

En fait, les expériences antérieures ont forcément beaucoup d'incidence sur les décisions prises par un entrepreneur, que ce soit en termes de marché ou de gestion. Certains de ces choix ont leurs racines fermement ancrées dans leur passé et présentent une très forte résistance au changement. On a beau dire à Roger de tenir compte des avis de ceux qui l'entourent ou à François de ralentir et de se concentrer sur une ou deux activités, rien n'y fait. Ces propos tombent dans l'oreille de sourds.

Pour l'entrepreneur, l'univers subjectif peut être une immense source d'intuition et de vision et constituer la base du succès de l'entreprise. Mais si cette subjectivité fausse sa lecture de l'environnement et du potentiel de son entreprise, elle peut entraîner de mauvaises décisions et causer sa perte.

L'entrepreneur doit, par conséquent, tenter de s'interroger à cet égard. Quand il prend une décision, est-ce vraiment le gros bon sens qui joue ou est-ce l'influence de ses expériences passées?

En étant plus conscient de ce phénomène, il s'ouvre davantage aux opinions de ses proches collaborateurs, de tous ceux qui sont concernés par la performance de l'entreprise.

D'autre part, une meilleure compréhension du processus de décision de l'entrepreneur de la part des collaborateurs les aidera à formuler leurs interventions de façon à tenir compte de ses préoccupations objectives et subjectives.

Et n'oublions pas : tous ceux qui prennent des décisions, peu importe qu'ils soient des entrepreneurs ou non, gagneront à réfléchir aux motivations profondes qui sont à la base de leurs pratiques de gestion.

> Pour l'entrepreneur, l'univers subjectif peut être une immense source d'intuition et de vision et constituer la base du succès de l'entreprise.
>
> Mais si cette subjectivité fausse sa lecture de l'environnement et du potentiel de son entreprise, elle peut entraîner de mauvaises décisions et causer sa perte.

LE DIRIGEANT DE PME, UNE PERSONNE À TROIS TÊTES
lundi 27 janvier 2003
Claude Ananou

Il est parfois difficile de comprendre la rationalité ou la logique des décisions prises par des dirigeants de PME, que ce soit sur le plan stratégique ou sur des aspects de gestion quotidienne.

Les banquiers, les collaborateurs, les conseillers ou les fournisseurs sont parfois étonnés par ces irrationalités qui gouvernent nos propriétaires-dirigeants car, dans notre monde des affaires, il n'y a qu'une seule rationalité légitime : la rationalité économique. Cela s'explique : c'est la seule qui paraît objective, facilement quantifiable et qui se prête aux calculs de ratios ou de pourcentages.

Le parler-seulement-économique est, bien sûr, présent sur toutes les tribunes, mais ce n'est pas la seule logique qui influence les dirigeants. Le plaisir d'exercer le pouvoir et, surtout dans le cas des PME, les préoccupations familiales sont autant, pour ne pas dire plus souvent, présentes.

À la suite d'une étude sur le terrain, le sociologue Michel Bauer a déterminé ces trois rationalités qui animent la plupart des dirigeants de PME : la rationalité économique, le pouvoir et l'approche familiale. On peut affirmer que les dirigeants d'entreprise fonctionnent avec chacune de ces trois têtes. Nous nous sommes inspirés du modèle de Bauer [1] pour dégager trois rationalités (l'*homo economicus*, l'*homo politicus* et le *pater familias*) qui animent les dirigeants de PME.

---

1. BAUER, Michel. *Les patrons de PME entre le pouvoir, l'entreprise et la famille*, Collection L'Entreprise, Inter-Éditions, Paris, XII, 1993, 245 pages.

L'*homo economicus* (figure 1)

La motivation économique, ou la rationalité économique, c'est évidemment celle qui est reliée à la performance de l'entreprise, aux résultats obtenus sur les marchés et aux revenus générés.

Lorsque le dirigeant porte le chapeau de la rationalité économique, ses décisions s'orientent essentiellement en fonction de deux dimensions. Celle du marché, qui vise à consolider la place de la firme par rapport à la concurrence, et celle du patrimoine, où l'augmentation de la valeur de l'entreprise est privilégiée. Cette tête plaira aux banquiers, mais elle risque parfois d'être perçue comme moins humaine dans les petites organisations.

À titre d'exemple, c'est la tête qui amènera le dirigeant à couper parfois froidement dans les ressources humaines ou à déléguer certaines fonctions, bien qu'il y perde sur le plan du pouvoir. Le but est de faire croître l'entreprise.

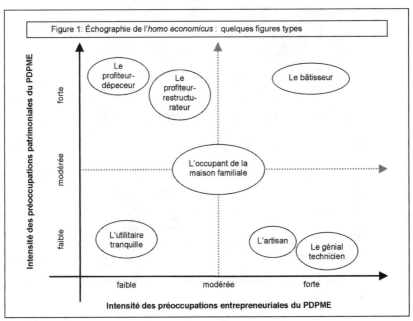

Figure 1: Échographie de l'*homo economicus* : quelques figures types

L'*homo politicus* (figure 2)

Moins avouable par les dirigeants de PME et souvent similaire à celle qu'on retrouve chez les politiciens, la rationalité liée au pouvoir est celle qui pousse le dirigeant à consolider son pouvoir ou, à tout le moins, à le conserver.

Le dirigeant aura beaucoup de mal à déléguer et, lorsque viendra le moment de prendre sa retraite, il aura de la difficulté à passer le témoin. Cette tête rend légitime pour certains dirigeants le fait d'être encore aux commandes de leur entreprise à plus de 80 ans, et ce, sans aucune gêne.

Ce type de dirigeant retardera la modernisation des moyens de production de son entreprise pour la seule raison qu'il faut engager des personnes qualifiées... sur qui il n'aura peut-être pas tout le contrôle.

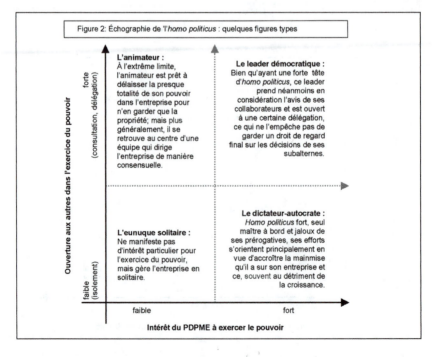

Figure 2: Échographie de 'l'*homo politicus* : quelques figures types

L'animateur :
À l'extrême limite, l'animateur est prêt à délaisser la presque totalité de son pouvoir dans l'entreprise pour n'en garder que la propriété; mais plus généralement, il se retrouve au centre d'une équipe qui dirige l'entreprise de manière consensuelle.

Le leader démocratique :
Bien qu'ayant une forte tête d'*homo politicus*, ce leader prend néanmoins en considération l'avis de ses collaborateurs et est ouvert à une certaine délégation, ce qui ne l'empêche pas de garder un droit de regard final sur les décisions de ses subalternes.

L'eunuque solitaire :
Ne manifeste pas d'intérêt particulier pour l'exercice du pouvoir, mais gère l'entreprise en solitaire.

Le dictateur-autocrate :
Homo politicus fort, seul maître à bord et jaloux de ses prérogatives, ses efforts s'orientent principalement en vue d'accroître la mainmise qu'il a sur son entreprise et ce, souvent au détriment de la croissance.

Ouverture aux autres dans l'exercice du pouvoir — forte (consultation, délégation) / faible (isolement)

faible — fort

Intérêt du PDPME à exercer le pouvoir

Le *pater familias* (figure 3)

Plus de 75 % des PME sont des entreprises familiales et il est tout à fait naturel que cette rationalité soit aussi au cœur de la prise de décision de certains dirigeants.

Elle consiste à prendre en considération la relation famille-entreprise dans la gestion de l'entreprise. Aux extrêmes, on remarquera deux attitudes possibles. D'une part, la famille est au service de l'entreprise, elle est exploitée et piégée (*business first)*. Dans le cas contraire, l'entreprise sert de vache à lait à la famille (*family first)*.

Le rêve dynastique de tout entrepreneur viendra également influencer la gestion de l'entreprise. Combien de fils ou de filles de dirigeants ont-ils pris la relève sans pour autant être les personnes les plus aptes ou les mieux préparées?

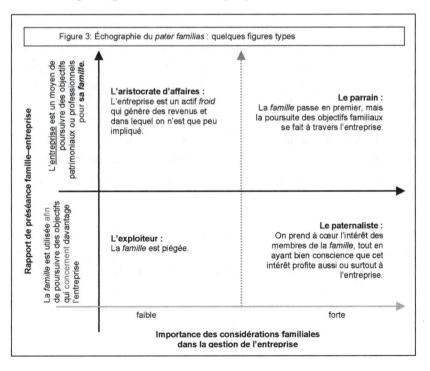

Figure 3: Échographie du *pater familias* : quelques figures types

Rapport de présence famille-entreprise

L'entreprise est un moyen de poursuivre des objectifs patrimoniaux ou professionnels pour **sa famille.**

La *famille* est utilisée afin de poursuivre des objectifs qui concernent davantage l'entreprise

L'aristocrate d'affaires :
L'entreprise est un actif *froid* qui génère des revenus et dans lequel on n'est que peu impliqué.

Le parrain :
La *famille* passe en premier, mais la poursuite des objectifs familiaux se fait à travers l'entreprise.

L'exploiteur :
La *famille* est piégée.

Le paternaliste :
On prend à cœur l'intérêt des membres de la *famille*, tout en ayant bien conscience que cet intérêt profite aussi ou surtout à l'entreprise.

faible   forte

Importance des considérations familiales dans la gestion de l'entreprise

Dans certains cas, la dimension *pater familias* s'appliquera également aux relations avec les employés. N'entendons-nous pas souvent le dirigeant dire que son entreprise est une grande famille? Il est même prêt à minimiser ses profits dans le seul but de garder le plus longtemps les membres de son équipe.

La place de chaque tête

On peut dire que l'activité professionnelle d'un dirigeant de PME, c'est-à-dire l'ensemble des décisions qu'il prend dans sa firme, doit être analysée comme le produit de cette triple rationalité.

Ce qui vient compliquer la chose pour l'observateur, le partenaire ou le collaborateur, c'est que la taille relative de ces trois têtes évolue dans le temps et peut parfois prendre des virages à 180 degrés.

Autant il peut être naturel pour un jeune dirigeant de voir sa tête d'*homo economicus* prendre le dessus au début, autant il n'est pas rare de voir la tête d'*homo politicus* prendre de plus en plus de place avec le temps, la dimension *pater familias* apparaissant avec la venue de membres de la famille dans l'entreprise.

Il arrivera également que le dirigeant, placé devant une décision difficile à prendre, soit tiraillé entre des désirs contradictoires et préfère attendre, ce qui pourra se traduire par une absence de décision et pourra nuire à l'entreprise.

Connaître et valoriser ses propres rationalités, souvent non avouables, sont des tâches que tout dirigeant devrait avoir à l'esprit. De plus, pour les intervenants auprès des dirigeants de PME, occulter ces réalités serait une aberration et un manque de réalisme. Vaut mieux en tenir compte, et ce, pour le bien de tous.

Il est parfois difficile de saisir les motivations qui sous-tendent les décisions du dirigeant de PME.

Selon les circonstances (âge du dirigeant, situation familiale, âge de l'entreprise), la rationalité à la base des agissements du dirigeant peut varier.

Cerner le type de rationalité qui l'anime ne peut qu'être bénéfique pour tous.

Illustration du modèle de Bauer

Michel Bauer utilise des personnages-types (voir figure 1, page 125) qu'il situe selon l'intensité de leurs préoccupations patrimoniales (faire de l'argent et du profit) ou entrepreneuriales (se développer à titre d'entrepreneur).

Au centre, l'occupant de la maison familiale maintient l'équilibre entre son désir de construire une affaire, de faire des profits, et celui de se développer en tant qu'entrepreneur et dirigeant.

Tout à fait centrés sur l'accroissement de leur patrimoine, les profiteurs se divisent en deux groupes : les profiteurs-dépeceurs, qui achètent des entreprises pour les rendre profitables et les revendre à profit, en pièces détachées, si nécessaire, et les profiteurs-restructurateurs qui restructurent une entreprise pour lui donner un nouveau souffle.

Les bâtisseurs sont les plus intensément préoccupés par les deux aspects : ils construisent un patrimoine et se réalisent en tant qu'entrepreneurs.

Les artisans et les techniciens de génie sont plutôt centrés sur les réalisations concrètes ainsi que sur le développement de leur art et de leurs idées, et le cumul des richesses n'est pas leur premier objectif dans la vie.

Enfin, l'utilitaire tranquille, c'est la couturière et le tailleur qui semblent vivre depuis toujours dans le quartier. Ils pratiquent un métier qui les fait tout simplement vivre.

LE LEADERSHIP, CE N'EST PAS L'ABSENCE D'AUTORITÉ

lundi 22 septembre 2003

Laurent Lapierre

Le leadership, c'est l'attribut d'une personne qui, dans son domaine, grâce à l'originalité ainsi qu'à la force de sa vision du monde, de ses façons de faire, de son travail et de son œuvre contribue à donner un sens et une direction à l'action d'une communauté et à la transformer de façon durable.

La société occidentale a une perception généralement positive du phénomène du leadership, aussi, parler côte à côte de leadership et d'autorité peut surprendre. Le leadership suscite l'adhésion, mais l'autorité fascine et dérange, et les figures d'autorité ont moins la cote d'amour de nos jours.

Il peut y avoir leadership sans autorité hiérarchique et formelle, mais il ne peut y avoir leadership sans qu'une forme d'autorité s'exerce. Pour parler de leadership, il convient plutôt d'utiliser l'autorité dans une acception plus large que le simple droit de commander ou que le pouvoir reconnu ou non d'imposer l'obéissance. J'entends donc l'autorité ici comme le fondement légitime qu'a une personne d'imposer respect, confiance et obéissance.

Parler de l'autorité, c'est nécessairement faire allusion au contrôle dans les rapports de direction, mais c'est aussi parler d'une des réalités fondamentales de la vie. Il n'y a pas de vie familiale et d'éducation sans autorité, comme il n'y a pas de société sans autorité, même lorsqu'il s'agit d'une autorité chaotique.

Il n'y a pas d'autorité et il n'y a pas de direction non plus sans agressivité – au sens premier du terme qui signifie « aller vers ».

L'agressivité saine, nécessaire à l'exercice de l'autorité, est très différente des agressions qui sont des réactions d'impuissance devant l'impossibilité ou l'incapacité d'exprimer son agressivité. On ne doit pas jeter le bébé avec l'eau du bain en niant ou en craignant toute forme d'autorité.

L'autorité est multiple. Elle est d'abord légale : le droit de commander que donne un poste de direction. Elle peut être déléguée lorsqu'on représente des personnes et qu'on peut parler ou agir en leur nom. Elle est charismatique si elle mise sur la personnalité, le charme.

Elle peut être construite par le travail, lorsqu'on met en valeur ses dons ou ses talents naturels ou qu'on surmonte des manques, des faiblesses ou des maladies pour en faire des atouts qui confèrent un réel pouvoir. Elle peut être morale lorsqu'elle repose sur des valeurs ou des idéaux partagés.

Elle est experte, surtout lorsqu'on est habilité par une formation professionnelle; et enfin pratique lorsqu'elle met à profit des habiletés dans les relations interpersonnelles comme savoir écouter, considérer ou ménager les gens ou encore être un fin politique pour obtenir des adhésions ou des services. Ces différents types d'autorité sont connus. Ils ne sont en rien exhaustifs ou mutuellement exclusifs.

Le leader, ou toute personne en autorité, intègre (ou n'intègre pas) dans sa vie ou sa pratique professionnelle la plupart de ces dimensions de l'autorité et plus encore. La vie de tous les jours nous apprend que chaque personne en poste d'autorité dirige comme elle est, c'est-à-dire avec toutes ses ressources intellectuelles, affectives et physiques.

Il y a donc une infinité de façons d'exercer l'autorité. Cela est encore plus vrai des leaders qui ne disposent pas d'une autorité hiérarchique et doivent exercer de l'influence sans le contrôle direct que légitime une autorité formelle.

Être authentique n'est pas étranger au leadership et à l'autorité vraie qu'on exerce autour de soi ou dans sa communauté. Ce n'est pas parce que la notion d'autorité est devenue impopulaire et plus éclatée qu'elle n'est pas restée prégnante et n'a pas sa pertinence.

Si la peur de perdre son emploi et son bien-être matériel faisait craindre les figures d'autorité aux générations passées, à notre époque, on accorde de l'importance au bien-être personnel, au besoin de prendre part à une entreprise et à une société qui ont une signification pour soi. On est plus critique.

On fait moins confiance à l'autorité des institutions et de l'État et on a même perdu confiance dans certaines grandes entreprises à cause de scandales récents. Non seulement on est plus sceptique, mais on est plus cynique[1] par rapport à l'autorité.

En conséquence, on accepte moins la seule autorité de statut, et c'est heureux. Les personnes, dans la société en général et dans tous les types d'organisations, sont mieux informées et utilisent leur jugement non seulement dans le but de se faire une opinion sur le sens et le bien-fondé de leur travail, mais aussi sur le bien-fondé de la finalité de l'organisation, de ses stratégies, de ses structures et des processus mis en place pour réaliser cette finalité.

Cela force les dirigeants à avoir une direction qui fait appel à leurs ressources personnelles et à un contenu qu'on accepte de discuter et de soumettre au jugement des personnes qu'on dirige même lorsqu'on a peu de marge de manœuvre. Un leadership qui ne s'appuie pas sur un contenu solide, qui n'a pas de substance est voué à l'échec.

---

1. FORTIER, Isabelle. « Du scepticisme au cynisme, paradoxes des réformes administratives », *Choix*, vol. 9, n° 6, août 2003, p. 3-19.

Être authentique n'est pas étranger au leadership et à l'autorité vraie qu'on exerce autour de soi ou dans sa communauté.

Ce n'est pas parce que la notion d'autorité est devenue impopulaire et plus éclatée qu'elle n'est pas restée prégnante et n'a pas sa pertinence.

LE LEADERSHIP PEUT-IL REPOSER SUR UNE SEULE PERSONNE?

lundi 5 avril 2004
Bernard Chassé et Laurent Lapierre

Le leadership a bonne presse par les temps qui courent... On signale sa présence pour expliquer le succès, et on évoque son absence lorsqu'il y a échec ou crise. Souvent, on identifie et glorifie une seule personne comme étant le ou la leader d'un groupe ou d'un secteur d'activité donné. Le leadership peut-il reposer uniquement sur une seule personne? Se peut-il qu'elle ait toutes les compétences et toutes les habiletés possibles et imaginables?

Voyons ce qu'en pensent Guy Marier et Larry Smith, deux hommes à l'esprit sportif [1].

Guy Marier vient tout juste de quitter Bell Canada pour qui il a travaillé pendant plus de trente ans. Il y est entré comme jeune analyste financier, puis a gravi les échelons, un à un, jusqu'à occuper les fonctions de vice-président exécutif. Son nom n'est peut-être pas très connu du grand public, mais dans le monde des affaires, sa réputation l'a précédé et suivi partout.

Chez Bell, tous les employés le connaissent, respectent son jugement et s'étonnent encore de son dynamisme.

Guy Marier est un homme simple qui ne tente pas d'éblouir par de brillants discours ou des théories quelconques sur la gestion, ni par des justifications compliquées. Au contraire, il se fait un point d'honneur de dire des choses très complexes dans un langage clair, facile, aux antipodes de la langue de bois, qu'il dénonce avec force.

---

1. Les histoires de cas *Guy Marier et Bell Québec : un leadership d'équipe* (en préparation) et *Larry Smith, les Alouettes* et *The Gazette* (36 pages), produites par Jacqueline Cardinal et Laurent Lapierre sont déposées au Centre de cas HEC Montréal.

Il a pratiqué plusieurs sports d'équipe, dont le hockey, le football. Sur la patinoire ou un terrain, travailler en équipe signifie pour lui faire profiter et faire valoir les contributions possibles de chaque joueur à la réussite commune. L'équipe d'abord et avant tout. Chaque membre a quelque chose à apporter et fait d'abord partie de l'équipe.

Il ne se gêne d'ailleurs pas pour déplorer ouvertement la tendance actuelle qui veut que l'on remplace les gens lorsque, soi-disant, ils ne font pas ou ne font plus l'affaire... Surtout, dit-il, former une équipe « n'a rien à voir avec les fameuses courbes d'évaluation de rendement ou de performance des personnes que l'on utilise dangereusement dans nombre d'organisations aujourd'hui ».

Pour Guy Marier, la direction des personnes renvoie plutôt à notre capacité, à « nous, dirigeants en poste de pouvoir », à travailler avec elles, ensemble. « Connaître, se rapprocher des gens le plus possible, leur serrer la main, s'intéresser à eux, à ce qu'ils font, s'ils ont des enfants, ce qu'ils pratiquent comme loisirs, etc., c'est faire équipe avec eux. Faire partie de leur équipe. C'est aussi se donner la possibilité de se rendre, avec eux, en demi-finales... pas toujours de gagner; mais d'être parmi les meilleurs, ça, c'est possible. »

Larry Smith a en commun avec Guy Marier de vouloir connaître les personnes de son organisation, oser même vouloir se rapprocher d'elles, rompre les distances qui existent ou que l'on maintient entre la direction et les employés. Bref, être dans l'action.

« J'ai toujours eu le désir de gagner, mais de gagner en jouant en équipe. Je n'ai jamais pris le rôle de la vedette. Pour moi, pour être un leader en sport par exemple, c'était plus important d'agir, de bien jouer avec les autres, que de parler. Par la suite, j'ai toujours respecté les gens, du côté professionnel, qui ont démontré ces qualités-là. »

Très tôt, Larry Smith a également saisi l'importance du travail d'équipe lorsque, jeune étudiant, il jouait dans les pièces de théâtre qu'organisait son collège.

« Au théâtre, explique-t-il, vous devez avoir beaucoup de mémoire, vous devez avoir toutes vos répliques dans votre tête. J'avais développé une façon d'apprendre par cœur par visionnement mental. Quand j'ai commencé à jouer au football, je faisais la même chose. Je visualisais les jeux dans un match, comment moi je fais mon job, comment les autres se déplacent sur le terrain. Ça m'aidait parce que quand vous courez avec le ballon, il faut avoir la vision d'ensemble de ce qui se passe, il faut avoir l'organisation spatiale du terrain dans votre tête. Si vous avez acquis cette approche mentale, votre visionnement est plus profond. Le théâtre m'a aidé pour ça. »

C'est dire qu'au théâtre comme au football, chaque joueur doit avoir conscience d'être membre d'une équipe pour qu'il y ait réussite.

Notre époque est celle de l'individualisme, du narcissisme et du chacun pour soi. Il n'est pas étonnant que l'on associe le leadership à une personne seule, qui se démarque par ses habiletés communicationnelles et politiques, ses compétences, son génie visionnaire. Pour reprendre la parabole du sport, c'est un peu comme si on associait le leadership à la personne qui prend seule le ballon et fonce droit au but, en faisant abstraction des contributions respectives des autres membres de l'équipe.

Guy Marier et Larry Smith, chacun à leur manière, nous rappellent clairement qu'il n'y a pas de leadership sans une adhésion claire des personnes.

Le leadership est une affaire de contenu et de vision, de travail, de persévérance, parfois d'entêtement.

On ne naît ni ne devient leader du jour au lendemain, et sans qu'il y ait une véritable adhésion de la part des autres. L'équipe, d'abord et avant tout.

5.
MAÎTRISER LES QUESTIONS FINANCIÈRES

Dès la création d'une entreprise, la question du financement se pose puisqu'il faut d'abord convaincre son banquier que ce projet mérite sa considération et repose entre bonnes mains. Au départ, le dirigeant de PME doit faire ses devoirs.

Ensuite, il doit exercer une vigie indispensable sur des indicateurs précis dont l'évolution des dépenses, des revenus et des marges afin de prendre des décisions éclairées et d'agir efficacement et promptement en cas de besoin.

À la base de cette vigie se trouve le processus budgétaire, lequel, en répartissant cette responsabilité à travers l'organisation, en imputant les cadres et les employés, multiplie les paires d'yeux et les cerveaux afin d'atteindre des objectifs communs et partagés.

En affaires, le risque est omniprésent dans toutes les étapes de l'évolution d'une entreprise, mais plus particulièrement au démarrage et lorsque de nouvelles possibilités de croissance se présentent.

Le capital de risque entre progressivement dans les PME québécoises en même temps qu'une culture de négociation et de partenariats, de compromis peut-être bien, entre dans la tête de ceux qui utilisent le capital des investisseurs, qu'il s'agisse d'institutions ou d'individus.

Dans les faits, le risque est toujours le fruit d'une décision humaine devant la possibilité d'un avantage supérieur pour l'entreprise et pour les individus, et cela, dans un environnement d'affaires turbulent. Le dirigeant de PME doit clarifier pour lui-même le niveau de risque qu'il est prêt à prendre. Avec sagesse et compétences, c'est-à-dire les siennes mais aussi celles de ses partenaires en affaires.

Même dans la croissance, il y a des pièges! Et il y en a jusque dans la modalité d'encaisser son dû.

IL FAUT SAVOIR VENDRE SON AFFAIRE POUR ÊTRE FINANCÉ

lundi 30 septembre 2002
Alix Mandron

Tout comme l'enfer est pavé de bonnes intentions, le cimetière des PME est pavé de bonnes idées... qui n'ont pas trouvé de capitaux, ou pas assez.

Certaines étaient peut-être prématurées, sans marché immédiat suffisant, d'où l'impossibilité d'obtenir du financement. D'autres, cependant, ont seulement été mal vendues.

Que faut-il faire pour maximiser ses chances d'obtenir les fonds nécessaires? Il faut convaincre le prêteur potentiel qu'il a de bonnes probabilités de revoir son argent. Cela passe par la présentation d'un plan d'affaires et d'un plan de trésorerie prévisionnel (entrées et sorties de fonds anticipées), tous deux à jour. Ceux de l'année dernière ne seront pas appréciés.

Le plan d'affaires doit présenter une histoire solide et plausible, c'est-à-dire un aperçu chiffré du marché à conquérir ou à étendre, ainsi que, si possible, une liste des clients courants et potentiels, la description des conditions de paiement qui s'appliqueront étant donné les pratiques de la concurrence, l'identité des concurrents actuels et potentiels, une description des installations requises, les fournisseurs retenus, les sources d'incertitude, etc.

La bonne mine et l'enthousiasme ne suffisent pas. Il faut prouver que l'on s'était bien préparé et que l'on avait pensé à tout, même à des détails aussi sordides que la nécessité de stocker avant de produire...

Si tel est bien le cas, le gestionnaire n'aura pas de mal à traduire son rêve en budget de caisse prévisionnel. Un bailleur de fonds potentiel aimera toujours savoir quand, pour combien et pourquoi exactement il est et sera sollicité. Surtout, il voudra se faire une idée précise du moment où la trésorerie de l'entreprise sera en mesure de supporter des remboursements s'il s'agit de prêts, de verser des dividendes s'il s'agit de capital-actions, etc.

À cet égard, il faut se rappeler que la croissance des ventes, si elle peut laisser entrevoir des bénéfices comptables également en croissance, est assez souvent un gouffre.

L'entreprise stocke en prévision de ventes accrues, dépense pour s'attacher de nouveaux clients, accorde du crédit à ces derniers; bref, elle décaisse avant d'encaisser (sans même parler d'éventuels investissements en équipements additionnels!).

Ce décalage temporel ne se reflète pas dans les bénéfices comptables, mais il affecte durement l'encaisse.

Bien des PME, qui ne l'avaient pas prévu, en sont mortes. La PME qui demande de l'argent a tout intérêt à préparer soigneusement des prévisions d'encaissements et de décaissements, et ce, préférablement pour quelques années. Cela ne paraîtra jamais trop terre-à-terre et touchera le bailleur de fonds dans ce qu'il a de plus sensible : son propre porte-monnaie.

Par définition, les prévisions sont fausses! Si l'on pouvait prévoir l'avenir avec exactitude, on n'aurait plus besoin de gestionnaires. De bons ordinateurs suffiraient. Il faut donc regarder les choses en face et prévoir des scénarios de rechange : que deviennent les prévisions d'encaisse si les choses tournent moins bien que prévu? L'entreprise a-t-elle une stratégie de rechange, un plan de contingence? Un bailleur de fonds un tant soit peu expérimenté aura tendance à se dire « tout beau, tout faux ».

Par contre, il appréciera le professionnalisme du gestionnaire qui s'est posé les bonnes questions, qui voit plus loin que le bout de son nez et se montre réaliste.

Un dossier bien présenté et une histoire bien vendue assurent-ils un prêt bancaire? Non parce que les banques se fixent des niveaux de risque à ne pas dépasser (leurs déposants n'apprécieraient du reste pas que l'on mette leurs épargnes en péril), et même, elles ont choisi certains secteurs dans lesquels elles s'estiment plus compétentes. Il se peut donc que le portefeuille de prêts en cours ne puisse accommoder le genre de risque présenté par une nouvelle demande.

Mais ce n'est pas si grave, car il existe énormément d'autres sources de financement que les banques. Il suffit de consulter des sites comme Strategis (http://strategis.ic.gc.ca) ou *Démarrez une entreprise* (http://www.entreprises.gouv.qc.ca/wps/portal) pour constater qu'il existe de nombreuses sources de financement privées et publiques adaptées à certains secteurs industriels, à certaines régions ou à certains stades de développement des entreprises.

Que l'on soit à la recherche de prêts ou de capital-actions, il vaut la peine de consulter ces listes afin de trouver le bailleur de fonds le mieux adapté aux besoins de l'entreprise à financer.

> Pour convaincre un banquier, il faut une histoire solide et plausible, chiffrée et... incluant un plan B, c'est-à-dire une stratégie de rechange.
>
> La croissance des ventes est assez souvent un gouffre. Il faut par conséquent prévoir les ressources financières nécessaires à ces fins.

LES SIGNES AVANT-COUREURS D'UNE SITUATION FINANCIÈRE INQUIÉTANTE

lundi 16 septembre 2002
Louise St-Cyr

Au Québec, les PME sont nombreuses et leur contribution à l'économie est majeure. Selon les dernières statistiques du ministère du Développement économique et régional et Recherche (anciennement le Ministère de l'Industrie et du Commerce), 98 % des employeurs du Québec embauchent moins de 100 employés et leurs PME fournissent près de 45 % des emplois de la province.

Dès lors, on comprend que la disparition d'une entreprise, si petite soit telle, est lourde de conséquences. Et si la crise de liquidité constitue une cause importante de la cessation des activités d'une entreprise, il faut bien admettre qu'une situation financière difficile se développe rarement en quelques jours. Il est possible de l'appréhender.

Parmi l'ensemble des indicateurs existants, voici quatre éléments à surveiller de près pouvant permettre de sonner l'alarme.

1. La baisse des marges

Les marges se calculent en divisant les différents niveaux de bénéfices par rapport aux ventes. Par exemple, le bénéfice brut divisé par les ventes donne la marge brute (ainsi, un bénéfice de 100 000 $, divisé par des ventes d'un million, donne une marge de 10 %).

Vous devriez porter une attention particulière à une baisse de la marge brute, et ce, même si votre chiffre d'affaires se maintient. C'est le signe d'une diminution de la profitabilité de vos opérations. Par exemple, des réductions importantes de prix pourront stimuler les ventes, mais elles affecteront la marge à la baisse et la rentabilité s'en ressentira. Une diminution de la rentabilité crée des pressions sur les liquidités, forçant par conséquent l'entreprise à emprunter davantage, ce qui augmente les charges financières et entraîne une détérioration de la marge nette.

2. L'augmentation du délai de perception des comptes clients et la hausse des stocks

Les stocks que vous détenez et les sommes que vos clients vous doivent (les comptes clients) constituent l'essentiel des actifs à court terme de votre entreprise. Selon les secteurs d'activité, leur niveau sera plus ou moins élevé. Par exemple, dans le secteur de la distribution alimentaire, le niveau des stocks sera peu élevé par rapport aux ventes; fraîcheur oblige, on ne peut garder de la laitue en stock pendant plusieurs semaines! Le nombre de jours de ventes en stock sera donc faible, soit d'aussi peu que 15 jours et possiblement moins dans certains cas.

Par ailleurs, les conditions de crédit offertes à vos clients influenceront directement le délai de perception de leurs comptes. On doit donc s'attendre à des délais normaux (de 30, 45 ou 60 jours, par exemple). Lorsque les délais dépassent de façon significative votre norme, c'est souvent l'indication qu'une situation financière se détériore : marché difficile, demande en baisse, ventes consenties à des clients moins solides financièrement. Vous devez passer à l'action.

Une réaction tardive de votre part accentuera les problèmes de liquidité, ce qui nécessitera une hausse des emprunts et impliquera de nouvelles charges financières. Les difficultés ne seront que plus grandes.

3. La baisse de la couverture des intérêts

La couverture des intérêts se calcule en divisant le bénéfice avant intérêts et impôts (le BAII) par le montant des intérêts payés. Ce ratio mesure la capacité de l'entreprise de couvrir sa facture d'intérêts. Par exemple, si le BAII est égal à 100 000 $ et que les intérêts s'élèvent à 50 000 $, la couverture est de 2 (100 000 divisé par 50 000). Dans ce cas, vous disposez donc d'une certaine marge de manœuvre en cas de baisse des bénéfices.

Un ratio trop près de l'unité (chiffre 1) est un signe précurseur de difficultés financières et devrait être pris au sérieux.

4. Des fonds autogénérés négatifs

Au-delà des bénéfices, les activités normales de votre entreprise doivent pouvoir générer de l'argent frais, ou des flux de trésorerie (*cash flow*), ce que les comptables appellent des fonds autogénérés positifs. Combien de faillites pourraient être évitées si les entrepreneurs accordaient plus d'attention à cet indicateur ultime de la solidité financière de leur exploitation?

Une augmentation des ventes, c'est bien. L'augmentation des bénéfices qui en résulte, c'est encore mieux. Mais tant que les ventes ne sont pas encaissées, il n'y a pas d'entrées de fonds, il y a seulement promesse d'argent. Et une promesse ne permet pas de payer les fournisseurs!

On peut réaliser de gros bénéfices et pourtant faire face à des problèmes financiers graves. Vous ne devez pas vous demander uniquement : ai-je fait du profit? Vous devez ajouter la question suivante : et ces profits m'ont permis de faire entrer combien d'argent dans la caisse? Si l'exploitation normale a entraîné une sortie nette de fonds (plutôt qu'une entrée nette), vous vous devez d'analyser la situation.

Sonner l'alarme, cela veut dire prendre conscience des difficultés avant qu'il ne soit trop tard. Vous devez vous fixer des objectifs et suivre de façon régulière la valeur prise par chacun des quatre indicateurs que nous venons d'identifier. Ils constituent, évidemment, un minimum.

La fréquence des suivis doit augmenter avec la précarité de la situation. Lorsque les valeurs s'éloignent de façon importante des cibles fixées, il importe d'en identifier les causes. Cette identification entraînera un certain nombre d'actions : modification de la politique de prix, ralentissement de la croissance, gestion plus serrée des comptes clients, baisse des commandes ou du niveau de production, rencontre avec le banquier, renégociation des échéanciers de paiement des dettes, etc. Le succès des mesures mises de l'avant dépendra de la rapidité avec laquelle le diagnostic est posé et les interventions prises.

> Quelques calculs simples à faire, des indicateurs à suivre constamment tels que les délais de perception des comptes clients et d'écoulement des stocks, les marges et le niveau des flux autogénérés, voilà de bonnes habitudes à prendre pour éviter les coups de barre en catastrophe et garder l'entreprise en bonne santé financière.
>
> Il ne suffit pas de calculer les indicateurs, il faut agir rapidement en fonction des messages qu'ils envoient.

LE CAPITAL DE RISQUE... EST-CE UN RISQUE?

lundi 31 mars 2003
Alix Mandron

Le capital de risque exerce de la fascination chez les entrepreneurs tout en suscitant des craintes. Fascination de l'argent dont on manque, crainte de se faire avoir, de ne plus être maître à bord. En somme, le risque ne serait pas l'apanage de l'investisseur; il pourrait bien échoir également, si l'on en croit la rumeur, à l'investi. Qu'en est-il au juste?

Nous traitons aujourd'hui du capital de risque formel, celui qu'offrent les fonds d'investissement institutionnalisés privés ou paragouvernementaux.

Les sommes accordées sont généralement destinées à financer l'étape du développement de produit, puis la précommercialisation, la mise en marché et finalement les débuts de la croissance. Le capital de risque peut accompagner l'entreprise jusqu'à son entrée en Bourse ou son acquisition par une autre entreprise.

La plupart du temps, en échange de l'argent investi, les organismes de capital de risque obtiennent des actions ordinaires ou des actions privilégiées convertibles. Les actions privilégiées leur offrent l'avantage de la priorité sur l'entrepreneur en cas d'échec et de liquidation.

Le privilège de conversion en actions ordinaires, quant à lui, leur permet de profiter, au même titre que l'entrepreneur, d'une situation qui tourne bien.

Étant donné que les fonds de capital de risque financent le développement de produits ou services dont on n'est pas sûr qu'ils franchiront avec succès l'étape de la mise au point, ou pour lesquels on n'est pas sûr qu'un marché rentable existe, il est évident que les investisseurs prennent un gros risque.

On estime que moins de la moitié des entreprises ainsi financées deviennent des succès commerciaux. Par ailleurs, l'argent investi est habituellement immobilisé plusieurs années. Or, les investisseurs n'acceptent de prendre de risques et de subir des inconvénients que s'ils peuvent s'attendre en moyenne à des rendements adéquats. Plus le risque est élevé, plus la rémunération anticipée doit l'être.

Objectif : 20 à 35 %

Concrètement, cela signifie que les entreprises du portefeuille qui réussissent doivent être extrêmement rentables pour compenser l'argent perdu sur les mauvais paris.

En demandant des rendements espérés variant de 35 à 70 % par an sur chacun de leurs investissements, les fonds espèrent réaliser, bons et mauvais placements confondus, un rendement annuel moyen de 20 à 35 %.

Comment un investisseur peut-il s'organiser pour espérer réaliser (sans garantie) un rendement aussi élevé que 70 %? D'abord et avant tout, en déterminant la part de propriété qui doit lui échoir.

Plus cette part est élevée, plus le rendement sera élevé si tout va bien. Pour illustrer le propos, supposons que, grâce à un nouvel investissement de 100 $ d'un fonds de capital de risque, une entreprise qui tourne bien enregistre après trois ans des rentrées d'argent nettes de 80 $ par an.

Si le fonds a obtenu 50 % des actions, il touchera 40 $ par an, récupérant ainsi son investissement en 5,5 ans et réalisant un joli bénéfice dès la sixième année. Si le fonds n'a obtenu que 30 % des actions, il n'obtiendra que 24 $ par an, mettra plus de temps à récupérer son investissement, d'où un rendement plus faible.

Cette étape de la négociation entre le fonds et l'entrepreneur est cruciale pour les deux intéressés. Et c'est celle qui suscite le plus de frustrations chez l'entrepreneur. Ce dernier est souvent plus optimiste sur les perspectives commerciales de son produit, en partie parce qu'il le connaît mieux, mais aussi parce que son implication dans le développement est chargée d'émotivité.

De ce fait, il trouvera souvent trop faible la valeur mise par le fonds sur son entreprise et donc trop élevée la part de propriété qu'il doit lui céder. Cependant, il se peut qu'il n'y ait pas d'alternative viable. Le fonds de capital de risque évitera quand même de s'attribuer une part de propriété excessive, car l'entrepreneur ne serait plus motivé à fournir les efforts voulus.

Un autre aspect de l'implication d'un organisme de capital de risque, c'est le contrôle qu'il voudra exercer pour s'assurer que l'entreprise utilise les fonds comme prévu et progresse dans la bonne direction. L'idée de contrôle en fera frémir quelques-uns, car l'entrepreneur est habitué à gérer seul ou presque.

Cependant, il ne s'agit pas d'un contrôle tatillon, au jour le jour, mais plus d'une présence au conseil d'administration, d'une production d'informations à intervalles réguliers et d'une libération progressive des sommes promises en fonction de l'atteinte de certaines étapes cruciales (par exemple, l'obtention d'un brevet). Envisagées davantage comme une forme de coopération que de contrôle, ces mesures de prudence peuvent s'avérer extrêmement utiles à l'entrepreneur.

Ce dernier bénéficie de l'expérience et du réseau de contacts et d'informations de spécialistes du domaine et reçoit aide et conseils de gestion, lui qui, a priori, n'a pas de formation ou d'expérience en gestion.

En fin de compte, recourir au capital de risque, c'est obtenir l'argent des autres et leurs conseils moyennant... la cession d'une part de propriété et de contrôle. Que l'arbitrage entre le pour et le contre soit satisfaisant demeure une question d'appréciation personnelle de l'entrepreneur. Mais dans certains cas, il n'a pas vraiment le choix s'il veut continuer en affaires.

L'optimisme anime l'entrepreneur. Le pessimisme teinte les perceptions du bailleur de fonds.

Le contrôle bien dosé de l'un et les compromis de l'autre contribuent à diminuer les risques et à générer des profits satisfaisants pour ces deux partenaires.

LA GESTION DES RISQUES FINANCIERS

lundi 17 mars 2003
Kodjovi Assoé

La turbulence de l'environnement économique, technologique et politique des entreprises crée des risques auxquels les dirigeants de PME sont constamment confrontés. Pour l'entrepreneur, visionnaire, qui a créé son entreprise et qui, pour ce faire, a pris le risque de monter un projet, de réaliser une idée, le risque n'a pas qu'une connotation négative de danger ou de perte potentielle. D'ailleurs, dans la langue chinoise, le premier symbole utilisé pour écrire le mot risque est celui du danger mais le second symbole est celui de l'opportunité. C'est aussi le cas en finance : le risque constitue plutôt une combinaison de dangers et d'opportunités.

Si la prise de risques a permis à l'entrepreneur de bâtir son entreprise, il est très important de réaliser que cette dernière ne peut et ne doit pas les assumer tous. La gestion des risques vise à séparer les risques que l'entreprise est à même d'assumer de ceux qu'elle peut éviter ou réduire. Elle comprend toutes les activités destinées à garantir la rentabilité de l'entreprise, sa compétitivité et la continuité de ses opérations.

Les principaux risques financiers qui menacent la rentabilité, voire la survie d'une PME, sont liés à des variations inattendues des taux de change, des taux d'intérêt, des prix des produits et de la situation des principaux clients et fournisseurs. Comme chaque entreprise a une exposition différente à ces risques, la stratégie de gestion variera selon les entreprises et la tolérance au risque des gestionnaires.

Les étapes du processus de gestion des risques financiers

— *Identification des sources et des facteurs de risque.*

— *Analyse de sensibilité des flux de trésorerie et de la rentabilité de l'entreprise aux variations des facteurs de risque.*

— *Définition des stratégies opérationnelles et contractuelles de gestion des risques.*

— *Établissement des moyens de contrôle des stratégies de gestion des risques.*

— *Évaluation et mise à jour périodique de la politique de gestion des risques.*

La première étape d'une politique de gestion des risques est l'identification des facteurs de risques financiers. Cette activité n'est pas si simple puisque, parfois, l'exposition au risque est indirecte. Elle requiert une analyse approfondie des sources de vulnérabilité de l'entreprise, souvent avec l'aide de ressources externes.

Prenons le cas d'une PME qui n'achète ni ne vend à l'étranger. Une appréciation du dollar canadien peut rendre attrayants des produits américains qui viendront faire concurrence à ceux de l'entreprise. Ou encore, un client ou un fournisseur important de cette entreprise peut être fortement exposé au risque de change, lui créant ainsi une exposition indirecte.

Le risque lié aux partenaires commerciaux, notamment la défaillance financière d'un client important, a souvent de graves conséquences sur la rentabilité d'une PME. La dépendance envers certains fournisseurs peut menacer sa survie, tout comme des fluctuations des prix de certains intrants. Une variation importante des taux d'intérêt peut affecter la faisabilité financière de projets d'investissement sur lesquels repose la croissance de l'entreprise.

Une fois les sources de risque identifiées, la deuxième étape consiste à procéder à une analyse de sensibilité des flux de trésorerie et de la rentabilité de l'entreprise aux variations des facteurs de risque. Une analyse de l'incidence des mouvements extrêmes des facteurs de risque ou des pires scénarios sur la survie même de l'entreprise permet d'identifier les risques que l'entreprise ne peut supporter.

La troisième étape consiste à définir les stratégies, tant opérationnelles que contractuelles, de gestion des risques identifiés comme importants pour l'entreprise. Les stratégies opérationnelles réfèrent à l'organisation même des activités de l'entreprise afin de réduire ses risques. Par exemple, une étroite surveillance des taux d'impayés, les limites des affaires avec un seul client, de même que la diversification des types de clientèles et des sources d'approvisionnement constituent des stratégies opérationnelles de gestion du risque des partenaires commerciaux. La compensation des sorties de fonds dans une devise (paiement de fournisseurs en dollars américains) par des entrées de fonds dans la même devise (développement d'un marché d'exportation aux États-Unis) est aussi une stratégie opérationnelle de gestion du risque de change.

Les stratégies contractuelles requièrent soit la signature d'un contrat avec une tierce partie qui indemnisera l'entreprise advenant la réalisation d'un événement précis, soit l'achat d'instruments financiers (contrats à terme, options, swaps) dont les gains compenseront les pertes potentielles des positions à couvrir. L'assurance de comptes clients, l'achat de contrats à terme sur devise et l'achat du droit de vendre une devise constituent des exemples.

Comme l'entreprise qui utilise ces instruments financiers doit prendre conscience des risques inhérents à certains d'entre eux, la quatrième étape de la gestion des risques porte sur l'établissement des moyens de contrôle adéquats pour éviter l'usage inapproprié d'instruments de couverture et assurer le respect des politiques établies.

Si la gestion des risques financiers est coûteuse en ressources humaines et financières, le coût du laisser-faire est plus important. Mais gérer des risques ne consiste pas simplement à les couvrir tous. Il faut plutôt distinguer les risques que l'entreprise peut assumer de ceux dont l'occurrence affectera sérieusement sa rentabilité et sa survie, afin d'agir sur ces derniers. Même en finance, qui ne risque rien n'a rien.

Mais afin de ne pas fragiliser leurs marges bénéficiaires ou compromettre leur croissance et leur survie, les PME doivent faire de la gestion des risques une activité structurée, systématique et systémique dans le but de réduire ou d'éliminer l'incidence négative des fluctuations dans leur environnement économique et financier.

La gestion des risques doit être une activité structurée, systématique et systémique au sein de l'entreprise.

Si la gestion des risques financiers est coûteuse en ressources humaines et financières, le laisser-faire compromet la rentabilité, la compétitivité et la survie même de l'entreprise.

MIEUX CONNAÎTRE LES PIÈGES DE LA CROISSANCE

lundi 3 février 2003
Rachel Auger

La croissance du chiffre d'affaires est souvent perçue comme le fruit de la réussite. On l'associe à une influence notable de l'entreprise dans son milieu, à un meilleur positionnement sur le marché, à des bénéfices potentiellement supérieurs. On parle plus rarement des dangers qui y sont associés. Pourtant la croissance à outrance peut, à elle seule, être la source de problèmes financiers graves.

L'histoire est classique et pathétique : une petite entreprise autrefois rentable et bien gérée, lauréate de plusieurs prix de reconnaissance, connaît maintenant des difficultés financières importantes, à la suite d'une très forte croissance de son chiffre d'affaires. Quels sont les pièges de la croissance? Que faut-il surveiller pour ne pas tomber dans ces pièges?

Piège 1

Des ventes supérieures, oui, mais pas à n'importe quel prix et à n'importe qui! La croissance des ventes ne devrait pas être un but en soi.

On doit se méfier des marges bénéficiaires : chaque dollar de vente supplémentaire doit être profitable. Pourquoi vendre plus si c'est pour perdre de l'argent? Un chiffre d'affaires plus élevé ne se traduit pas nécessairement par une meilleure rentabilité.

Aussi, il faut être prudent par rapport au délai de recouvrement des comptes clients : bien qu'une vente soit comptabilisée, rien ne garantit qu'il y aura un paiement complet et rapide. Il faut s'assurer de la solvabilité et de la bonne foi des nouveaux clients. Une vente non encaissée est réalisée à perte, et une vente payée tardivement entraîne des coûts de financement qui en réduisent l'attrait.

Piège 2

Une croissance des ventes suppose nécessairement une croissance des actifs. Il faut considérer l'achat d'actifs immobilisés (équipements, agrandissement, etc.). De plus, une augmentation des stocks et des comptes clients est généralement incontournable. Heureusement, les fournisseurs offrent des délais de paiement. Toutefois, en termes d'encaisse, les gros déboursés arrivent habituellement avant les grosses ventes!

L'entrepreneur ébloui par l'attrait de la croissance oublie souvent le besoin de fonds entraîné par le décalage entre les entrées et les sorties de fonds liées aux opérations.

Enfin, il est peu probable de pouvoir répondre à une demande accrue avec les mêmes employés. Au fil de la croissance, il faudra penser à l'embauche de personnel spécialisé (gestion des ressources humaines, marketing, comptabilité, etc.). Gérer un chiffre d'affaires trois fois plus important peut facilement se traduire par trois fois plus de problèmes si l'on n'est pas entouré adéquatement. Attention à l'évolution des besoins : sans une bonne planification en vue de l'acquisition des ressources appropriées, il sera peut-être impossible de répondre à la demande en respectant les délais et les standards de qualité.

Piège 3

L'entreprise possède peut-être les fonds pour autofinancer sa croissance, mais il y a fort à parier qu'il sera nécessaire d'emprunter davantage. Si le niveau actuel d'endettement de votre PME semble adéquat (c.-à-d. comparable à la norme sectorielle), il serait bon d'adopter un rythme de croissance des ventes qui en assure le maintien.

Le concept de croissance soutenable est utile à cette fin. Le calcul du taux de croissance soutenable repose sur l'hypothèse qu'il y a maintien de la rentabilité et de l'efficacité dans la gestion. Il est approximatif et n'est pas adapté à tous les cas, mais demeure un indicateur intéressant.

Selon ce concept, une PME dont le propriétaire ne peut injecter de nouveaux fonds dans l'entreprise devrait limiter le taux de croissance de ses ventes en fonction de sa capacité d'autofinancement.

Le taux de croissance soutenable s'obtient en multipliant le rendement actuel des actionnaires (bénéfice net / avoir des actionnaires moyen) par le taux de rétention prévu des bénéfices (pourcentage des bénéfices qui ne sera pas versé sous forme de dividendes).

Prenons l'exemple d'une PME qui génère annuellement 20 % de rendement et pour laquelle 60 % des profits sont réinvestis dans l'entreprise. Sa croissance soutenable est donc de 12 %. En dépassant ce taux, une hausse du niveau d'endettement sera vraisemblablement entraînée, ce qui rendra l'entreprise plus vulnérable puisque, bonnes ou mauvaises années, les paiements sur la dette seront exigibles. Pour excéder la croissance soutenable, l'entreprise pourra envisager de solliciter de nouveaux partenaires. En échange, cependant, le propriétaire devra probablement céder une partie du contrôle.

Piège 4

L'optimisme est certes une qualité qui permet d'apprécier la vie. Toutefois, en contexte de gestion de la croissance, un excès d'optimisme peut s'avérer très néfaste. Qu'adviendra-t-il si l'augmentation du chiffre d'affaires ne se matérialise pas? Cet argent qui n'entre pas devait vous permettre de rembourser votre dette, payer vos intérêts, votre main-d'œuvre supplémentaire... Ajoutez à ce problème de liquidité la désuétude des stocks, la croissance devient alors de moins en moins probable. Vous êtes pris au piège.

Le réalisme des prévisions de chiffre d'affaires est primordial. Il est souvent difficile de revenir en arrière lorsque l'on a surestimé ses ventes. Une croissance bien planifiée, bien gérée et bien financée, c'est possible. Pour ce faire, il arrive toutefois que l'on ait à freiner un peu la cadence afin de s'assurer d'être en position solide, et ce, tant aujourd'hui que demain.

La croissance des ventes constitue souvent un objectif important pour les gestionnaires de PME.

Cette croissance demande toutefois d'être adéquatement planifiée et bien gérée sans quoi elle peut entraîner des conséquences graves sur la situation financière de l'entreprise.

AUGMENTER LA VALEUR AJOUTÉE DU PROCESSUS BUDGÉTAIRE

lundi 4 novembre 2002
Michel Vézina

Au cours des dernières années, j'ai entendu souvent les experts-comptables et les contrôleurs travaillant au sein de PME se plaindre du manque de sérieux accordé au processus budgétaire. Pourtant, le budget est un outil de gestion indispensable pour toute entreprise. C'est une question de survie et de performance...

À l'origine de ce problème, les experts soulignent le manque d'imputabilité des gestionnaires. Or, assurer l'imputabilité des gestionnaires, qu'il s'agisse du directeur des ventes ou du directeur d'usine, consiste à rendre ces derniers responsables de la préparation et du suivi de leur budget. Cette condition est essentielle au succès de l'exercice. Imaginez la pertinence de l'analyse des écarts de production lorsque le responsable de la production ne s'implique pas dans le processus.

Les causes

Pourquoi le manque d'imputabilité représente-t-il un problème aussi fréquent au sein des organisations? Plusieurs raisons sont avancées.

Premièrement, le manque de conviction des dirigeants de PME dans le processus budgétaire. Si les dirigeants de l'entreprise considèrent le processus budgétaire comme un exercice futile sans valeur ajoutée, il est inutile d'espérer responsabiliser les employés.

L'incompréhension de l'importance du budget pour l'entreprise est une autre cause. Selon les statistiques, les responsables budgétaires doivent investir, en moyenne, près de 10 % de leur temps dans le processus budgétaire. Pour plusieurs d'entre eux, l'exercice n'en vaut pas le coût. Il est plus simple de s'en remettre au contrôleur.

Le faible niveau d'implication des employés dans l'élaboration des objectifs en ce qui a trait à leur service peut également expliquer le manque d'imputabilité.

Une étude que nous avons réalisée récemment auprès de 365 responsables du processus budgétaire au sein des entreprises québécoises a démontré que plus de 50 % des répondants considèrent que la direction impose ses objectifs aux responsables budgétaires.

Évidemment, lorsqu'on n'a pas un mot à dire sur l'élaboration des objectifs, il est difficile de se sentir imputable.

Le manque d'imputabilité des employés devient encore plus évident si le budget constitue essentiellement un instrument de surveillance plutôt qu'un outil de gestion. Il sera alors difficile de convaincre les responsables budgétaires de s'impliquer à fond dans l'exercice.

C'est également le cas lorsque les gestionnaires ont l'impression que les budgets ne sont utiles qu'au comptable et aux dirigeants de l'entreprise. Plusieurs responsables budgétaires m'affirmaient qu'après avoir déposé leur budget, ils n'en entendaient plus jamais parler. Selon notre étude, les responsables budgétaires ont la responsabilité de l'analyse des écarts entre le budget et les résultats réels dans seulement 30 % des cas.

Enfin, certains comptables justifient le manque d'implication des gestionnaires en affirmant qu'ils n'ont souvent pas l'expertise requise pour préparer leur budget et effectuer un suivi adéquat de leurs écarts budgétaires. Il est évident qu'en l'absence d'une formation adéquate et d'un soutien personnalisé offert par le comptable de l'entreprise, il ne faut pas s'attendre à des miracles.

Les solutions

Heureusement, il existe plusieurs moyens pour améliorer l'imputabilité des gestionnaires et ainsi augmenter la crédibilité et la valeur ajoutée du processus budgétaire.

Premièrement, il est important d'impliquer les employés possédant un certain pouvoir décisionnel dans l'élaboration des objectifs au sein de leur service ou de leur unité administrative. Par exemple, dans une PME, le responsable des ventes et le responsable de la production devraient normalement y prendre part.

Il est également important d'assurer un encadrement adéquat des employés par l'entremise de séances de formation et par un soutien individualisé. Le développement des outils informatisés conçus spécifiquement à cet effet constitue un atout.

Il est nécessaire de définir clairement et de respecter le champ de compétence des responsables budgétaires. Les employés seront imputables de leur budget dans la mesure où ils seront les seuls responsables des décisions qui auront été prises au sein de leur service ou unité administrative. Si, par exemple, le directeur du marketing a la responsabilité de fixer le prix de vente des produits, il se sentira responsable des écarts de prix et de quantité, ce qui ne sera pas le cas, avec raison, si cette décision est prise à son insu par le directeur général.

Il est aussi essentiel que les employés responsables de la préparation de leur budget assurent eux-mêmes le suivi de la réalisation des objectifs et aient la responsabilité d'expliquer les écarts budgétaires identifiés.

Enfin, il est tout aussi important d'assurer une rétroaction adéquate auprès des gestionnaires en les impliquant dans la recherche de solutions aux écarts budgétaires jugés significatifs. Par exemple, un écart défavorable entre les ventes prévues et celles réalisées nécessite la mise en place de solutions à tous les niveaux de l'entreprise. En discutant des écarts budgétaires avec l'ensemble des responsables budgétaires, il sera possible de susciter l'émergence de solutions originales qui pourront être mises en œuvre collectivement.

Le budget est un outil de gestion extrêmement utile qui facilite la mise en œuvre et la réalisation de la stratégie organisationnelle. Toutefois, un budget n'est utile que dans la mesure où les prévisions sont fiables et qu'il est utilisé régulièrement pour la coordination et le contrôle des opérations. Il n'est possible d'atteindre cet objectif que si les gestionnaires responsables des unités administratives se considèrent imputables de leur budget.

Un manque d'imputabilité des gestionnaires face au processus budgétaire laisse souvent présager des problèmes importants concernant la gouvernance et la culture d'entreprise.

L'imputabilité des gestionnaires est une condition essentielle à la mise en œuvre de la stratégie de l'entreprise.

Afin de rendre les gestionnaires imputables, il faut les impliquer dans le processus budgétaire dès le début de l'élaboration du budget et tout au long du processus de suivi budgétaire.

« QUI NE RISQUE RIEN N'A RIEN...
MAIS QUI RISQUE TROP N'A RIEN NON PLUS »

lundi 24 février 2003
Élaine Lamontagne

Avec l'ère de la mondialisation, les entreprises vendent de plus en plus à des pays tiers et quand vient le temps de se faire payer, elles ignorent souvent que toutes les modalités de paiement ne sont pas égales entre elles en ce qui a trait aux risques.

Il y a lieu tout d'abord de faire la différence entre les instruments de paiement tels le chèque, la traite bancaire, le mandat ainsi que le virement et les modalités ou moyens de paiement (appelés aussi dans certains pays les techniques de paiement) que sont, entre autres, la consignation et le compte ouvert. Nous aborderons ici les modalités de paiement.

Pour bien comprendre les nuances qui existent entre les diverses modalités, nous nous référons au tableau des risques engendrés par chacune d'entre elles (tableau 1). La consignation, qui constitue la modalité la plus risquée pour le vendeur se trouve tout en haut du tableau, alors que tout en bas figure la modalité la moins risquée, soit le comptant à l'avance. Entre les deux et en ordre décroissant de risque, se situent le compte ouvert, l'encaissement documentaire, le crédit documentaire irrévocable et le crédit documentaire irrévocable et confirmé (qui suit de près le comptant à l'avance).

Modalités de paiement – risques (tableau 1)

Risques du vendeur	
Consignation	
Compte ouvert	
Encaissement documentaire contre acceptation	
Encaissement documentaire contre paiement	
Crédit documentaire irrévocable	
Crédit documentaire irrévocable et confirmé	
Comptant à l'avance	
Risques de l'acheteur	

La consignation n'existe que dans certaines industries, mais elle représente un risque élevé. Le vendeur livre sa marchandise chez l'acheteur (quelquefois moyennant un dépôt et souvent contre seulement un reçu officiel) et attend que ce dernier la vende pour ensuite être payé selon le terme de paiement entendu (immédiatement après la vente, 30 jours après la vente…). Inutile de dire que tous les risques sont du côté du vendeur.

Prenons ensuite le moyen de paiement de prédilection des entreprises québécoises : le compte ouvert. Déjà risqué sur le marché domestique, il le devient encore plus sur les marchés internationaux. Ce moyen présuppose l'octroi d'une certaine marge de crédit au client (habituellement pour ses achats de 30 jours, payables dans 30 jours). Cela implique normalement que l'entreprise fasse une étude de crédit sur le client potentiel pour juger de sa solvabilité. Souvent les entreprises sautent cette étape en international parce qu'elles ignorent comment aller chercher l'information sur le crédit des clients étrangers. Pourtant Exportation et Développement Canada (EDC), les institutions financières et les agences de crédit (comme Dun & Bradstreet) offrent ce service. De plus, le risque est augmenté parce que le paiement s'effectue généralement par un chèque qui peut faire l'objet d'une opposition de paiement de la part de l'acheteur avant même que l'exportateur ne le reçoive ou n'ait eu le temps de l'encaisser.

Malheureusement c'est la modalité de paiement que privilégient les acheteurs américains et les cas de non-paiement sont assez nombreux avec nos voisins du Sud... comme le rapportent les organismes tels EDC [1] et la COFACE (équivalent français de EDC).

Autre exemple, l'encaissement documentaire. Dans ce cas, le risque est moindre pour l'exportateur car cette modalité implique que celui-ci tire vers l'acheteur une traite de paiement sur l'acheteur en faisant intervenir la banque des deux parties dans l'acheminement de la traite et des documents (facture, bordereau d'expédition, connaissement, certificat d'origine, certificat d'assurance...). À la réception des documents. il y aura paiement immédiat ou acceptation de paiement (selon les termes de paiement négociés). Étant donné la participation des banques, cela devient gênant pour l'acheteur de ne pas payer à échéance. Qui plus est, les banques peuvent devenir des témoins importants pour certifier que le vendeur a rempli ses obligations. Cependant, cette modalité entraîne des frais bancaires assez importants.

Le crédit documentaire irrévocable constitue une garantie bancaire ferme de la part de la banque de l'acheteur moyennant le respect des conditions à remplir de la part du vendeur. Le risque ici est associé à l'interprétation que pourrait faire la banque étrangère des documents qu'elle recevra.

Le crédit documentaire irrévocable et confirmé implique la même obligation que précédemment, mais la banque confirmatrice (plus souvent qu'autrement la banque du vendeur) s'engage vis-à-vis de l'exportateur et cette garantie s'ajoute à celle de la banque de l'acheteur. On parle alors fréquemment de double garantie bancaire. Dans ce cas-ci, les risques sont associés à une erreur possible dans les documents prescrits ou au fait que la banque

1. EDC offre de l'assurance-crédit à l'exportation et une évaluation du risque. Consultez : www.edc.ca/.

confirmatrice soit située dans un pays étranger et qu'il y ait des erreurs d'interprétation des documents.

Évidemment ces deux dernières modalités de paiement sont beaucoup plus sûres, mais elles entraînent des coûts, dont les frais administratifs et les frais de risques (selon le montant et le terme du paiement – par exemple 90 jours), pour la banque de l'acheteur auxquels viennent s'ajouter des frais de notification et de confirmation, le cas échéant, pour la banque du vendeur. Évidemment, tous ces frais, sont payables par l'acheteur qui est le donneur d'ordres dans cette modalité de paiement. Il faut donc en user avec modération car ce dernier n'acceptera cette technique que pour une certaine période seulement, le temps que vous procédiez à une étude de crédit, par exemple. Après il faudra passer à un moyen plus souple et moins onéreux pour lui.

Le comptant à l'avance est difficilement acceptable pour l'acheteur; il peut se justifier selon les risques associés à la transaction (risques commerciaux, politiques, etc.). Faire des affaires en Russie, par exemple, comporte souvent cette modalité de paiement (paiement à l'avance partiel ou total). L'exportateur se doit de faire évoluer ses risques au fur et à mesure que la relation d'affaire se développe. Au fil du temps, il assouplira ses conditions de paiement parce qu'il y aura notion de relation durable. Cependant, avant d'en arriver là, certaines précautions s'imposeront toujours!

Il existe différentes modalités de paiement qui présentent toutes certains risques.

Cela est d'autant plus vrai dans un contexte d'exportation car, dans ces circonstances, les modalités sont plus nombreuses et présentent des caractéristiques distinctives.

6.
MÉRITER SES EMPLOYÉS

Pour poursuivre avec l'importance de gérer les risques, il faut être conscient qu'il se trouve, parmi ces ressources que l'on dit si précieuses dans une entreprise, les ressources humaines, son capital humain. Certains dirigeants s'en préoccupent beaucoup, d'autres pas assez et trop ne s'en préoccupent pas du tout, pour une question de coûts et de temps. Deux mauvaises raisons.

Du recrutement à l'intégration des nouveaux employés, les compétences de base sont la première préoccupation du dirigeant de PME : cet employé a-t-il ce qu'il faut pour effectuer les tâches qui lui seront confiées? Comment arrivera-t-il à faire équipe avec ses collègues?

Et ensuite, comment cet employé évoluera-t-il dans l'entreprise? Sera-t-il heureux et suffisamment satisfait pour y rester et faire carrière? Lorgne-t-il déjà vers la sortie? Il y a plusieurs façons de susciter son engagement, sa dévotion envers l'entreprise et l'employeur. Et ce n'est pas uniquement une question de rémunération.

La gestion des ressources humaines d'une entreprise exige que le dirigeant accorde beaucoup d'attention à l'environnement dans lequel évoluent ses employés et ses cadres. De la même façon qu'il y a des produits qui font concurrence aux siens sur le marché, il y a des entreprises qui font concurrence à la sienne à titre d'employeurs.

D'une certaine façon, l'entreprise doit faire sa promotion en tant qu'employeur afin de ne pas perdre ses meilleurs employés, mais aussi pour que des candidatures intéressantes se présentent à son service des ressources humaines afin d'y déposer le curriculum vitæ que le dirigeant attendait.

La façon de traiter ses employés fait partie de la culture d'une entreprise. Cette culture est-elle affectée par des changements devenus nécessaires? Freine-t-elle le changement? Mérite-t-elle d'être considérée? Peut-elle être ignorée? Serait-elle un ensemble de valeurs qui soutient le progrès de l'entreprise? Mieux vaut que les bases de cette culture soient authentiques et… profondément intégrées.

PETITES ET MOYENNES COMPÉTENCES?

lundi 2 décembre 2002
Dominique Bouteiller

On le sait, la Loi sur la formation de la main-d'œuvre adoptée en 1995 visait principalement les PME. Tout le monde s'entendait alors pour dire que celles-ci ne formaient pas assez leur personnel et qu'il y allait de la compétitivité de la province. On peut considérer, six ans plus tard, qu'un écart significatif existe encore par rapport aux grandes entreprises. Est-ce à dire pour autant que nos PME ne savent pas développer leur capital compétence et qu'elles sont toutes menacées d'obsolescence dans les années à venir?

Le monde de la PME couvre une grande diversité de milieux, d'enjeux de compétence et d'organisation de la formation. Certaines d'entre elles, déjà exposées aux défis de la mondialisation et de l'innovation, n'avaient pas attendu la Loi pour s'occuper de leur main-d'œuvre qualifiée. D'autres, de plus en plus nombreuses, se trouvent désormais insérées dans des chaînes de sous-traitance, des réseaux de franchise ou encore des relations clients–fournisseurs étroites qui les incitent, les soutiennent et parfois même les contraignent à s'organiser en matière de formation. D'autres, enfin, fonctionnent de façon plutôt isolée, sur des marchés souvent instables et vivent des déficits de compétences importants, tant en ce qui concerne leur direction que leur personnel.

Deux profils de dirigeant se dessinent alors au regard de la formation. Ceux qui, à tort ou à raison, n'en voient tout simplement pas l'utilité et ceux qui ne douteraient pas de sa plus-value potentielle, mais qui ne voient pas comment concilier cette démarche avec les contraintes de leur milieu. C'est sur ces deux réalités que nous nous attarderons

Une activité dangereuse?

Pour une PME, la commande est particulièrement exigeante. Collée sur les besoins de l'entreprise, la formation ne doit surtout pas perturber la production et il faut qu'elle soit rentable à court terme. Bien sûr, elle ne doit pas coûter cher.

Mais développer des compétences peut représenter un risque considérable :
- des formations, généralement achetées à l'extérieur, ne permettent pas un transfert efficace dans l'activité de travail;
- des employés qui deviennent plus revendicatifs envers leur rémunération ou leur parcours professionnel;
- des problèmes d'équité interne dus au fait qu'on ne pourra que rarement satisfaire tous les besoins;
- enfin, argument choc chez les dirigeants de PME : des employés trop bien formés qui deviendront des employés déjà perdus pour l'entreprise.

Si un tel constat peut en effet se vérifier dans certaines situations où la concurrence est vive sur un marché du travail tendu, ou encore quand le donneur d'ordres se montre trop ambitieux dans son recrutement, il serait à nuancer dans bien d'autres cas où c'est l'ensemble de la gestion des ressources humaines qui est déficiente au sein de l'entreprise.

Pour la PME, beaucoup plus que pour la grande entreprise, former est donc risqué!

Une activité contre-culturelle!

Plusieurs facteurs de nature plus permanente vont par ailleurs rendre les décisions en matière de formation non plus seulement risquées, mais parfois hautement improbables. On retiendra ici les remplacements très coûteux, voire impossibles, la mentalité de *self-made man* des dirigeants, le caractère familial, paternaliste même, des relations, la difficulté de planifier et de raisonner sur le moyen terme, les inévitables plafonnements dans les possibilités de carrière, l'insuffisance, voire l'absence de ressources expertes à l'interne, et puis, pour certaines PME, le niveau élevé d'analphabétisme et la multiplication des formes d'emplois précaires. Ce sont là autant de facteurs qui vont souvent saper à la base la volonté et la capacité de l'entreprise à jouer la carte de l'apprentissage.

Plusieurs perspectives intéressantes semblent néanmoins se profiler à l'horizon. L'évolution des pratiques de formation elles-mêmes qui est déjà en action. On pense ici à toutes ces nouvelles façons d'organiser les activités d'apprentissage, c'est-à-dire à proximité de l'acte productif, en mobilisant les collègues, en individualisant les démarches et, plus globalement, en exploitant au maximum le caractère formateur des milieux de travail. Autant d'avenues où la PME, habituée aux formations *sur le tas* et aux relations de proximité, pourrait efficacement se démarquer.

De la même façon, les nouvelles possibilités offertes par les technologies de l'information et des communications en matière d'apprentissage à distance et en temps réel, devraient, si les contenants et contenus sont au rendez-vous, permettre de surmonter certaines des contraintes actuelles (coûts unitaires plus faibles, accès facilité à partir du lieu de travail, personnalisation des parcours, diffusion plus large, etc.), et en temps réel le développement de nouvelles pratiques collectives de réseautage basées sur le secteur d'activité, la région, ou encore sur d'autres types de partenariats inter-entreprises. Les mots d'ordre seraient ici entraide, échange d'expertise, outils de gestion transposables, compétences transversales, et bien sûr, économies d'échelle et coûts dégressifs. Autant de formes de collaboration qui, démultipliées par les nouvelles technologies, devraient permettre aux PME d'accéder à un autre niveau de ressources tout en atténuant l'intensité de la concurrence exercée sur leurs meilleurs employés.

Enfin, on n'oubliera pas que la formation n'est qu'un des paramètres de la gestion des ressources humaines et que la portée des stratégies et des pratiques au sein des PME dépendra toujours de la cohérence de l'ensemble du système.

Pour une PME, beaucoup plus que pour une grande entreprise, former son personnel peut paradoxalement représenter un risque important.

De nombreux facteurs peuvent saper à la base la volonté et la capacité d'une PME à jouer la carte de l'apprentissage. Malgré tout, la formation constitue une activité essentielle.

La formation n'est cependant que l'un des paramètres de la gestion des ressources humaines et dépendra de la cohérence de l'ensemble du système.

LE DÉFI : ATTIRER ET RETENIR LES MEILLEURS EMPLOYÉS

lundi 9 décembre 2002

Anne Bourhis

Selon un sondage effectué au début de l'automne 2002 par le Groupe Everest pour le compte de la Banque Nationale et de *La Presse Affaires*, plus de 13 % des chefs d'entreprises québécoises estiment que la difficulté à trouver du personnel qualifié est le principal frein à la croissance des PME.

Peu connues des chercheurs d'emploi potentiels, les PME manquent souvent de moyens pour recruter, offrent généralement des salaires inférieurs à ceux des grandes entreprises, se trouvent parfois éloignées des grands bassins de main-d'œuvre et présentent peu de possibilités de promotions; les PME font donc face à des obstacles de taille en matière d'attraction et de rétention de la main-d'œuvre.

Comment réussir à attirer et retenir les meilleurs employés, avec la concurrence des grandes entreprises? Les PME n'ont pas le choix : elles doivent se battre avec leurs propres armes, même si les résultats sont parfois longs à venir.

Connaître, se connaître et se faire connaître

La première étape consiste à tisser des liens avec son milieu. Quels sont les établissements d'enseignement de la région? Quels sont les programmes de formation offerts? Quelles sont les entreprises considérées comme étant les meilleurs employeurs de la région et quelles sont les conditions de travail qu'elles offrent? La connaissance de son milieu est un préalable pour savoir où et comment cibler un bassin de candidats approprié. C'est également une façon d'établir des partenariats avec d'autres employeurs de la région, par exemple pour faire des campagnes de recrutement communes ou encore pour aider une nouvelle recrue à trouver un emploi pour son conjoint ou sa conjointe.

Mais le fait de connaître son milieu n'est pas tout… Le vieil adage « Connais-toi toi-même » est de mise pour se différencier des autres employeurs. Certes, une PME n'a peut-être pas la notoriété ou la capacité de payer de géants comme Alcan ou Pratt & Whitney, mais elle offre d'autres avantages dont elle doit être consciente : défis professionnels, proximité du pouvoir stratégique, rapidité de mise en œuvre des décisions, ambiance familiale… Ce sont précisément les éléments que recherchent les candidats qui se tournent vers les PME et il faut savoir les mettre de l'avant.

Et se faire connaître, c'est l'étape indispensable pour acquérir de la visibilité auprès des candidats. Par centaines, les chercheurs d'emploi envoient leur curriculum vitæ chez Bombardier ou à la Banque Nationale, mais rares sont ceux qui, spontanément, postuleront chez Tremblay et frères! Comment se faire connaître à faible coût? Les stratégies sont nombreuses : offrir des stages d'été, organiser des visites industrielles, participer à des présentations dans les écoles de métier, etc. Un exemple? Marmen, une PME spécialisée dans l'usinage de pièces, située au Cap-de-la-Madeleine, offre des bourses d'excellence à des étudiants en usinage dans une quinzaine d'écoles du Québec.

Cibler les besoins et les candidats

Deuxième étape : bien définir ses besoins en matière de recrutement est également une nécessité dans un contexte de pénurie de compétences. Quels sont les rôles et responsabilités du poste à pourvoir? Quelles sont les compétences nécessaires pour un candidat? Quelles sont les possibilités d'évolution de carrière à moyen terme? Dans cette évaluation des besoins, le réalisme est de mise. Il sera souvent préférable de faire des compromis sur les exigences et de laisser sa chance à un candidat peu expérimenté mais motivé, plutôt que de chercher à tout prix la perle rare... voire introuvable!

Une fois le poste et les exigences définis, la campagne de recrutement doit cibler un bassin de candidats précis. Ici encore, les PME n'ont d'autre choix que de faire preuve d'imagination pour se démarquer de la concurrence. Pour cela, le message doit être original et piquer la curiosité.

Ainsi, certaines entreprises, comme Régitex ou Béton Bolduc, en Beauce, ont érigé un panneau le long de l'autoroute pour indiquer qu'elles embauchaient. Afficher sur les camions de livraison ou les autobus est une autre tactique. L'année dernière, SaarGummi, fournisseur de joints d'étanchéité pour l'industrie automobile, a loué des espaces publicitaires sur les autobus à Sherbrooke pour sa campagne de recrutement. Participer aux foires d'emplois locales ou à des journées carrière, ou encore organiser des journées portes ouvertes sont d'autres façons peu onéreuses de recruter des employés.

Pour sa part, CMP Solutions Métalliques Avancées, une entreprise manufacturière de la Rive-Sud de Montréal, favorise les recommandations de son personnel. Ainsi, un employé ayant recommandé un candidat qui est finalement embauché reçoit une prime de 250 $ et court la chance de gagner un prix de valeur lors d'un tirage. Une autre façon de se démarquer consiste à cibler des bassins de main-d'œuvre moins convoités, comme les immigrants récents, les nouveaux retraités, les personnes handicapées ou les jeunes décrocheurs.

Si des efforts de communication et de recrutement ont été faits par les PME au cours des dernières années, la sélection des candidats reste souvent le parent pauvre du processus de dotation. Par manque de temps ou de moyens autant que par volonté de laisser son intuition parler, le dirigeant de PME se base fréquemment sur des critères flous pour sélectionner ses employés.

Le risque? Des recrues dont les qualifications correspondent mal au poste et qui, au mieux, quitteront l'entreprise au bout de quelques mois. Pour être rigoureuse, la sélection doit se baser sur les compétences exigées par le poste, notamment les compétences techniques, sans négliger les habiletés plus abstraites comme la résolution de problèmes ou les communications interpersonnelles ainsi que la congruence avec la culture organisationnelle.

Considérer la dotation comme un processus continuel

La dotation ne s'arrête pas au choix d'un candidat. La majorité des démissions surviennent dans les deux ans suivant l'embauche! Il faut donc accueillir et intégrer convenablement le nouvel employé, lui présenter l'entreprise et sa culture et clarifier les attentes. Trop souvent, l'accueil se résume à une visite rapide des locaux et la recrue est ensuite laissée à elle-même. Les collègues sont principalement les mieux placés pour accueillir le nouvel employé et le mettre à l'aise rapidement dans son nouvel environnement.

Cependant, il revient au superviseur immédiat de la recrue d'agir comme *coach* pendant les mois qui suivent son entrée en fonction. C'est donc dire l'importance de nommer des superviseurs compétents qui sauront maintenir le climat de travail familial qui fait la force des PME.

Connaître, se connaître et se faire connaître :
voilà le point de départ du processus de
recrutement de toute entreprise.

Pour faire face à la concurrence des grandes
entreprises en matière de main-d'œuvre, les PME
doivent se démarquer par des efforts d'originalité et
d'innovation dans leurs méthodes de recrutement.

Elles doivent mettre en valeur leurs avantages
susceptibles de retenir l'attention des meilleurs
candidats.

FIDÉLISER SES EMPLOYÉS : MISSION IMPOSSIBLE?

lundi 24 novembre 2003
Christian Vandenberghe

La plupart des organisations sont entrées dans une guerre des talents dont l'enjeu est la gestion de la relève et le maintien de compétences collectives concurrentielles. Or, pour sortir vainqueur de cette lutte, il est nécessaire de maintenir, d'augmenter même, l'engagement organisationnel de ses employés. Mais est-ce encore possible alors que bon nombre d'organisations ont connu des transformations majeures qui ont mis à l'épreuve le moral de leurs troupes? Selon les études récentes et l'observation des pratiques de gestion efficace, la réponse à cette question est affirmative.

L'engagement organisationnel n'est pas un état homogène. Il peut revêtir trois formes, dont l'impact sur la productivité et la fidélisation est variable.

L'engagement affectif caractérise les employés qui s'identifient à leur organisation. Dans ce cas, les objectifs de l'organisation sont véritablement intériorisés par l'individu. On dit de cette forme qu'elle représente un engagement par désir.

L'engagement normatif est le propre des employés éprouvant un sentiment d'obligation morale envers leur employeur. Cette forme d'engagement est à la baisse dans tous les pays industrialisés. Cela tient aux vagues de restructurations des années 90 qui ont érodé la qualité de la relation avec l'organisation.

Enfin, l'engagement est parfois instrumental lorsque l'employé reste parce qu'il a peu d'options de rechange ou que son départ lui ferait perdre des avantages importants. Il s'agit de l'engagement de continuité.

Les trois formes d'engagement sont associées à des effets différents. Un employé engagé affectivement restera plus volontiers membre de son entreprise et son efficacité professionnelle sera élevée. Les mêmes effets se produisent avec l'engagement normatif, mais leur ampleur est plus limitée car cette forme d'engagement repose sur une obligation de nature morale. En revanche, l'engagement de continuité, bien qu'il diminue l'envie de partir chez l'employé, tend aussi à réduire son efficacité professionnelle.

L'art de gérer l'engagement organisationnel de ses employés consistera donc à augmenter leur engagement affectif, à stimuler modérément leur engagement moral et à maintenir leur engagement de continuité à un niveau aussi bas que possible.

Gérer l'engagement

La capacité à gérer l'engagement des employés est critique lorsque l'organisation est en transition. En effet, dans les cas de fusions et de rachats d'entreprises, nombreux sont les individus à haut potentiel qui s'en vont pour rejoindre une autre organisation. Ce phénomène d'hémorragie des talents dure à peu près six mois à partir du moment où la nouvelle de fusion ou de rachat est annoncée.

Ces individus de talent représentent souvent les employés affectivement les plus engagés envers leur employeur, mais aussi les plus employables (correspondant à un faible engagement de continuité). Pourquoi décident-ils de partir? Parce que souvent les dirigeants accordent trop peu d'attention à communiquer les nouvelles valeurs et les objectifs de l'organisation fusionnée. Il manque à la fois une vision crédible de la future entreprise et une présentation opérationnelle de ses modes de gestion.

Or, il est difficile de maintenir une identification à une entreprise dont les valeurs et objectifs futurs restent incertains. Cette connaissance est pourtant essentielle aux yeux des employés à haut potentiel car ils veulent savoir comment orienter leurs efforts à l'avenir de manière à rester productifs. Le flou du futur fait donc chuter leur engagement affectif.

De plus, comme la logique des décisions de changement à l'interne dans les cas de fusions est souvent obscure, ces employés se sentent trahis, ce qui réduit leur engagement normatif par la même occasion. Néanmoins, comme leurs talents et compétences les rendent employables (faible engagement de continuité), ils chercheront de nouveaux horizons pour s'exprimer.

Quelques conseils

La déperdition des talents en période de transition n'est pas une fatalité. Les nombreuses enquêtes que nous avons réalisées auprès de plusieurs organisations nous indiquent quelques conseils utiles à suivre.

Tout d'abord, annoncez d'emblée les valeurs et les objectifs de la nouvelle structure. Soyez également explicite sur les critères opérationnels qui seront désormais utilisés pour rémunérer et récompenser les employés. Ces conditions permettront le maintien de leur engagement affectif.

Ensuite, utilisez des modes de récompense variés (bonus, plans de développement des compétences, emploi enrichi) afin de favoriser le maintien d'une loyauté morale de vos employés envers l'organisation transformée (engagement normatif : « J'ai un devoir de loyauté envers cette entreprise »).

Enfin, redéfinissez le rôle des superviseurs de première ligne qui auront à gérer l'anxiété des individus pendant la transition. Cette anxiété est liée à la crainte de ne pouvoir satisfaire les nouvelles attentes de l'entreprise.

Définissez une période (six mois, par exemple) pendant laquelle les superviseurs aideront leurs employés à ajuster leurs compétences. Pendant cette phase de transition, mettez vos employés à l'abri d'une évaluation du rendement. Vous aurez ainsi toutes les chances de limiter la réduction de leur engagement de continuité, car leur employabilité augmentera.

Mais là où vous pouvez marquer la différence, c'est dans le domaine de la vision du futur. Cessons de proposer des scénarios pessimistes à nos employés. Bien sûr, les temps sont difficiles, et l'avenir est incertain. Mais ceci ne doit pas justifier une absence d'engagement chez … les décideurs. Gérer, c'est se compromettre et peut-être se tromper. À tout prendre, il est préférable de proposer un avenir auquel on croit, dans lequel chaque employé a une place. Proposer un avenir crédible et mobilisateur permet de soulager les craintes et les souffrances d'aujourd'hui. Par cette proposition d'un futur meilleur, chaque employé pourra se libérer du poids de l'engagement instrumental qu'il vit aujourd'hui et retrouver le désir de s'investir qui forme le fondement de l'engagement affectif envers son organisation.

Les turbulences seront bientôt derrière vous et vous disposerez d'un personnel dont le profil d'engagement sera à la mesure des nouveaux défis de votre entreprise.

Pour terminer, sachez que toutes ces actions sont bénéfiques pour vos employés aussi, car les études montrent que des employés qui sont engagés sur les plans affectif et normatif et qui présentent un faible engagement de continuité sont en meilleure santé que les autres.

L'engagement des employés envers leur entreprise peut se décliner sous trois modes : l'engagement affectif, l'engagement normatif et l'engagement de continuité.

L'employé engagé affectivement (par désir) est celui qui présente habituellement la plus grande efficacité professionnelle.

C'est cette forme d'engagement que le dirigeant devrait tenter de stimuler au maximum et qui peut contribuer à fidéliser ses employés.

LA CULTURE D'ENTREPRISE, EST-CE IMPORTANT?

lundi 24 mars 2003
Jean-Pierre Dupuis

Dans les années 1980, certains grands gourous du management américain ont fait de la culture d'entreprise le principal facteur de succès des entreprises. Selon eux, celles qui se distinguaient tant par leur durée dans le temps que par leur excellente rentabilité économique étaient toutes dotées d'une culture d'entreprise forte. La plupart du temps, cette culture forte était le fruit d'un leader qui avait su inculquer ses valeurs à ses collaborateurs et à ses employés. Il est par conséquent vite apparu dans ce contexte que toutes les entreprises devaient s'enrichir d'une telle culture. Les consultants en management furent ainsi appelés en renfort pour aider les dirigeants à mettre en place une culture forte.

Les résultats de ce courant managérial n'ont pas été trop concluants. D'abord, on ne change pas une culture d'entreprise aussi facilement. Bien souvent, les tentatives de transformation se résument en de vagues slogans creux qui n'ont pas beaucoup de résonance dans l'entreprise. De plus, les dirigeants ne sont pas toujours prêts à investir le temps et les ressources nécessaires pour véritablement transformer les façons de faire de leur entreprise. Finalement, la transformation ne va pas toujours dans le sens désiré par les dirigeants. Par exemple, le grand objectif de créer un groupe soudé par les mêmes objectifs, travaillant main dans la main et affichant une grande cohérence du point de vue des actions peut tourner au cauchemar en ouvrant de vielles plaies ou en transformant des conflits latents en conflits ouverts. La culture est transformée, mais pas nécessairement pour le mieux.

Devant les résultats mitigés, dirigeants et consultants ont progressivement laissé tomber l'idée de transformer la culture des entreprises. Ce qui ne veut pas dire que la culture ne soit pas importante pour comprendre le fonctionnement d'une entreprise, mais simplement qu'elle n'est pas aussi facilement manipulable que pouvaient le laisser croire les consultants. En effet, comme elle est le fruit d'une longue histoire de relations entre les dirigeants et les employés, ainsi qu'entre les divers groupes d'employés en son sein, et comme elle est très souvent inconsciente en partie tant les manières de faire et de voir de l'entreprise apparaissent naturelles à ses membres, il n'est évidemment pas facile de la transformer.

Le moment de vérité

Le changement à la tête de l'entreprise, à la suite, par exemple, de la retraite du président-fondateur, de la vente de l'entreprise ou de la volonté de changer d'orientation, est souvent l'un des événements les plus révélateurs de la culture d'entreprise. La nouvelle direction, selon qu'elle est consciente ou non de cette culture, peut s'y insérer parfaitement ou s'y heurter de plein front et soulever énormément de résistance. Ainsi, dans le cas de nombreuses PME, le remplacement du président-fondateur est un moment de vérité pour la culture d'entreprise. Dans plusieurs PME, nous retrouvons une culture familiale très paternaliste où le dirigeant-fondateur traite ses employés comme des membres de sa famille.

Or, très fréquemment, on remplace ce dirigeant par un gestionnaire professionnel, provenant de l'extérieur, qui veut rapidement imposer sa marque en modernisant la gestion. Il s'empressera de mettre fin à certains privilèges dont bénéficient plusieurs employés, mettra sur pied un programme de formation et recrutera quelques diplômés pour l'aider à professionnaliser la gestion. Ce faisant, il fera fi de la culture familiale de l'entreprise pour tenter de mettre en place une culture plus professionnelle, davantage axée sur la formation et la performance. S'il le fait avec tact, et de façon très progressive, il peut fort bien y arriver. Par contre, s'il veut procéder trop rapidement et que les employés se sentent bousculés, il risque fort de rencontrer de nombreuses résistances qui mineront le climat et affecteront la performance. Très souvent, ce dirigeant échoue et est remplacé par un autre qui fera face au même défi.

L'intégration de gestionnaires professionnels ou fraîchement diplômés peut amener de pareils problèmes à la PME. L'idéal, qui n'est souvent pas possible (par exemple, dans le cas du décès subi du président-fondateur), serait d'intégrer lentement et sûrement ces gestionnaires en évitant de leur donner trop rapidement de grandes responsabilités. Il s'agit en quelque sorte de les socialiser à la culture d'entreprise et aussi de leur permettre d'influencer progressivement cette culture. C'est ce qu'a fait par exemple le président d'une PME quand il a, une année durant, littéralement traîné avec lui son futur remplaçant dans tous les coins et recoins de l'entreprise de même qu'auprès des fournisseurs et des clients. Le nouveau venu a donc absorbé très rapidement, non seulement tous les aspects techniques et financiers de l'entreprise, mais aussi les aspects plus informels comme la culture d'entreprise.

La culture d'entreprise [1] est une réalité dans la mesure où elle caractérise l'état des relations entre les employés, et entre les dirigeants et les employés. Ces relations, et les cultures qui en naissent, peuvent être principalement familiales, conflictuelles, professionnelles, etc. Il est important d'en être conscient puisque les changements auxquels l'entreprise fait face doivent soit s'insérer dans cette dynamique, soit la transformer profondément. Dans ce dernier cas, il faudra compter beaucoup plus de temps et de ressources pour y parvenir.

---

1. Pour en savoir plus : http://culture.entreprise.free.fr/.

La culture d'entreprise, c'est la dynamique des relations entre ses membres.

Transformer une culture d'entreprise demande du temps et des ressources.

Le résultat de cette transformation n'est jamais totalement prévisible.

7.
DES STRATÉGIES ET DES RÉSEAUX

Le mot stratégie impressionne. Son côté savant cache néanmoins des activités très quotidiennes qui se reconnaissent facilement et auxquelles une réflexion confère une cohérence.

Dès le démarrage de son entreprise, le dirigeant concentre ses intérêts sur le produit à offrir, les moyens de le produire en fonction de l'équipement et du financement de même qu'en fonction d'une clientèle qui pourrait s'y intéresser. Déjà, c'est faire de la stratégie. L'ABC, en quelque sorte.

Le banquier sera le premier à exiger que toute cette réflexion soit étalée en noir sur blanc dans un plan d'affaires. Un plan d'affaires qui, sans être une garantie de succès du projet, réussira peut-être à le convaincre qu'il y a une avenue intéressante à explorer et que le soutien financier qu'on lui demande est fondé sur un risque très, très, très raisonnable.

Les plans d'affaires n'aboutissent pas tous au même niveau de succès. Et cela peut dépendre du talent du dirigeant d'en faire non seulement un document pour son banquier, mais surtout un instrument pour lui-même et son entreprise.

Il faut du génie et du temps pour élaborer une stratégie originale et percutante qui assurera à l'entreprise un développement et une croissance qui feront l'envie des concurrents. Et au-delà de l'envie des concurrents, il y a aussi le désir de partager le succès en élaborant de véritables alliances stratégiques avec ses partenaires, dans une relation où chacun trouvera satisfaction.

Parmi ces stratégies, la participation à des réseaux très actifs, la sous-traitance et l'impartition gagnent du terrain, de même que la possibilité de fusionner l'entreprise avec une autre ou de s'en porter acquéreur.

Les PME sont des organisations dynamiques, dans un environnement que l'on souhaite aussi dynamique et aidant.

UN PLAN D'AFFAIRES : EST-CE VRAIMENT UTILE?

lundi 17 mai 2004

Louis Jacques Filion

Rares sont ceux qui, de nos jours, n'ont jamais entendu parler du plan d'affaires. Les règles à suivre pour le rédiger ont pris tellement d'importance qu'elles ont fini par remplacer le petit catéchisme au Québec. Le sujet est tellement d'actualité qu'on en est venu à établir un parallèle entre plan d'affaires et réussite en création d'entreprise.

Quel est le coupable qui nous a conduit à passer tant de temps à cette activité? La faute incombe à plusieurs catégories de personnes, dont les investisseurs, les banquiers et nous-mêmes, les chercheurs. Je fais immédiatement mon *mea-culpa*. Nos recherches ont prouvé que mieux on est préparé, plus on réussit en affaires. Et la préparation, c'est beaucoup le plan d'affaires… mais ce n'est pas tout!

Comme société, nous avons atteint l'étape importante de pouvoir établir un lien entre une occasion d'affaires et les compétences d'une personne capable de bien la mettre en valeur. Ceci peut d'abord être exprimé par la rédaction d'un plan d'affaires. C'est là une des conditions de base. Mais il nous faut dépasser cela. Il nous faut passer à une autre étape. On ne veut pas avoir à encadrer des *écriveux* de plans d'affaires, mais plutôt former des entrepreneurs pour qui le plan d'affaires constitue un outil privilégié. Ce n'est pas la même chose!

Le meilleur indicateur de succès en affaires demeure l'expérience, spécialement celle du secteur dans lequel on se lance. L'expérience générale des organisations, en particulier de la gestion et de la gestion de projets, peut aussi jouer un rôle important. La compréhension d'un marché est essentielle. La maîtrise de compétences de négociation et de communication est capitale.

Certains sont devenus experts à concevoir des plans d'affaires. Après avoir fait un premier plan d'affaires complet (20 pages et plus), ils présenteront par la suite des plans d'affaires embryonnaires (1 à 5 pages), schématisés (6 à 10 pages) ou sommaires (11 à 19 pages). Mais ce n'est pas la seule étape, ni la première pour se préparer à se lancer en affaires. Voici donc cinq étapes de préparation.

Tout d'abord, il faut définir clairement ce qu'on aime faire, idenfier ses motivations profondes afin de mieux solidifier ses points d'ancrage et ne pas être balayé par le premier coup de vent ou la première difficulté vécue.

Ensuite, la deuxième étape consiste à bien se définir comme entrepreneur et à réfléchir aux conséquences d'un démarrage d'entreprise sur notre qualité de vie.

La troisième étape comprend la rédaction d'un plan d'affaires avec tout ce que cela implique d'analyses et de compréhension du marché du secteur concerné et de la niche visée.

La quatrième étape concerne le bilan de ses compétences et de ce qu'il faudra apprendre pour réaliser son projet.

Finalement, la cinquième étape est celle de l'organisation de son capital social. L'entourage joue un rôle souvent crucial en création d'entreprises. On le voit avec les incubateurs. Le choix et la capacité de travailler avec un mentor peuvent être tout aussi déterminants que le fait de rédiger un plan d'affaires. Le choix de l'équipe implique des décisions majeures. Les entrepreneurs qui réussissent nous disent combien ils ont investi de temps dans cette activité de sélection, comment ils se sont servis de leur vision comme critère de référence pour choisir les personnes dont ils se sont entourés [1]. Il est aussi fortement suggéré de mettre en place

---

1. Ces réflexions ont été inspirées du livre : FILION, L. J. et ses collaborateurs. *Réaliser son projet d'entreprise*, 3ᵉ éd., Montréal : Transcontinental, 2001.

un comité aviseur composé de trois à quatre personnes expérimentées et présentant des expertises complémentaires, en particulier en marketing et en finance, deux activités de gestion qui doivent demeurer au cœur des préoccupations des créateurs d'entreprise.

Certaines personnes qui ont élaboré de superbes plans d'affaires n'obtiennent pas le succès escompté pour autant, parce que l'entreprise a mal démarré. Un plan d'affaires est incomplet s'il n'est pas accompagné d'un bon plan de démarrage. Voici quelques questions qui peuvent être pertinentes à ce sujet : Quel est le meilleur moment pour démarrer cette entreprise? Qui sont les premiers clients à cibler? Comment minimiser mes coûts tant que l'opération n'est pas complètement enclenchée? Qu'est-ce que je peux confier en sous-traitance (regarder en particulier les activités spécialisées et celles qui ne requièrent pas l'embauche de personnes à temps plein)? Le personnel a-t-il la formation adéquate pour répondre à ce qui lui sera demandé? Comment puis-je améliorer la planification de ma trésorerie?

Le plan d'affaires demeure un outil de réflexion indispensable pour créer une entreprise, mais il doit être complété par un ensemble d'autres éléments. Autrement dit, nous devons passer à une étape subséquente qui est celle d'un concept renouvelé, enrichi, du plan d'affaires, d'une préparation plus complète à la création d'entreprises et d'une meilleure maîtrise des métiers d'entrepreneur, de dirigeant, de gestionnaire et de fondateur d'entreprises. Les grilles d'évaluation de projets d'affaires doivent se complexifier et tenir compte de ces éléments et des plans d'apprentissage prévus pour maîtriser les compétences requises lors de la création d'une entreprise.

La rédaction d'un plan d'affaires demeure un outil privilégié pour se préparer à se lancer en affaires.

Il faut aussi travailler d'autres dimensions de ses ressources entrepreneuriales pour bien réussir son projet d'entreprise.

Il faut savoir s'entourer, mobiliser les ressources tant humaines que financières et se doter d'un bon plan de démarrage.

LA STRATÉGIE EST TOUJOURS UNE ŒUVRE DE CRÉATION

lundi 29 mars 2004
Taïeb Hafsi

Faire de la stratégie, c'est un peu comme écrire en prose. Tout le monde en fait avec ses amis, ses parents, ses collègues et bien entendu les dirigeants en font pour gérer la dynamique interne de leur organisation ou pour répondre aux exigences de leur environnement. Aussi, comme la bonne prose, la bonne stratégie n'est pas courante, parce que toutes deux sont des œuvres de création!

Sous sa forme la plus courante, la stratégie est une conceptualisation de ce que les membres de l'organisation vont faire, donc des objectifs communs qui vont permettre à leur organisation de se maintenir en équilibre avec les exigences de l'environnement. C'est aussi une définition, une construction et une mise en application des moyens sans lesquelles il leur serait difficile de réaliser cet équilibre.

La plupart des gestionnaires connaissent les choix stratégiques les plus courants, ceux qui sont souvent utilisés avec succès par les entreprises. Si vous leur posez la question, ils vous répondront, comme ils l'ont appris et maintes fois expérimenté, que la réussite est généralement associée à trois grandes stratégies génériques : le leadership sur les coûts, la différenciation ou la *focalisation*.

Le premier choix, le leadership sur les coûts, consiste à générer les coûts les plus faibles de conception, production, marketing, vente, livraisons et service des biens qui sont présentés aux acheteurs. Cela suppose la mobilisation d'économies d'échelle, d'envergure et d'expérience, donc la réalisation de parts de marché importantes, parfois le resserrement des dépenses, parfois aussi le développement de moyens ingénieux, plus économiques, de réalisation des tâches de l'entreprise.

Ainsi, on dit que l'entreprise française Renault n'a pu s'implanter en Amérique du Nord, malgré l'attirance des acheteurs pour ses véhicules, parce qu'elle n'a jamais pu atteindre une part de marché qui permette une échelle économique pour son réseau de distribution.

La différenciation signifie que le produit ou le service, sa production et sa distribution notamment, se distinguent par des caractéristiques particulièrement attirantes pour l'acheteur. Ceci peut venir de la marque (Nike), la qualité (Mercedes), la forme ou le design (coccinelle VW), le caractère exclusif (vêtements griffés), le contrôle d'un réseau de distribution (Pepsi), le prix (Wal-Mart), le service (Holt Renfrew), etc.

Finalement, la *focalisation* est une forme de différenciation, mais avec une cible particulière comme une région, un groupe d'acheteurs, un produit ou une technologie. Ferrari ou Rolls Royce, dans l'automobile, Bang & Olufssen dans l'électronique grand public, le Mouvement Desjardins ou la Banque Nationale dans les services financiers, sont des exemples d'entreprises ayant ou ayant eu une stratégie de *focalisation*.

Ainsi, lorsque les gestionnaires et leurs conseillers pensent à la stratégie, ces trois types viennent inévitablement à l'esprit. Mais vous aurez remarqué qu'en énonçant un type ou un autre, on n'a pas vraiment dit grand-chose…

Que des images

Les stratégies génériques ne sont que des images, des métaphores utiles, pour mettre ensemble un grand nombre de comportements différents. Les entreprises inventent tous les jours des stratégies qui les démarquent et suggèrent que celles qui réussissent sont en réalité toutes uniques.

Lorsqu'une stratégie réussit pour une entreprise, elle n'est plus disponible pour une autre. Ceci est vrai même pour les leaders de coût. Par exemple, lorsque dans les années 80, les constructeurs automobiles américains ont étudié les avantages / coûts des constructeurs japonais, certains ont conclu que c'était la technologie (GM), d'autres ont conclu que c'était la motivation des personnes (Ford).

En tentant de copier l'un ou l'autre des facteurs, avec difficulté, ils ont réalisé que c'était l'un et l'autre et bien d'autres choses encore (une configuration complexe d'éléments en fait) qui font la solidité de cet avantage et rendent la copie difficile.

C'est probablement ce qui explique le caractère durable de la crise que ces entreprises ont vécue. Il y a aussi beaucoup de façons d'être unique. La littérature en management stratégique regorge de suggestions.

Ainsi, on a suggéré que les créations stratégiques sont venues de quatre grandes tendances [1] : (a) échapper à la tyrannie des marchés desservis en allant à contre-courant et parfois même en remettant en cause ses propres produits, comme l'a fait l'Electronic Shoebox de Kodak; (b) mettre l'accent sur des concepts nouveaux, comme l'a fait Toto dans le développement de toilettes intelligentes qui analysent et donnent les premiers signaux d'alarme sur la santé de l'appareil digestif; (c) remettre en cause les hypothèses traditionnelles en matière de rapport prix / performance, ce qui a permis le développement du piano qui joue tout seul par Yamaha; (d) précéder le client, une stratégie risquée mais souvent utilisée avec succès par Sony ou DuPont.

De même, si on considérait la chaîne de consommation du client [2], on pourrait apporter des réponses stratégiques uniques en tentant

1. HAMEL, G., et C.K. PRAHALAD. *La conquête du futur.* Paris : InterÉditions, 1995.

2. MACMILLAN, I.C., et R.G. MCGRATH. « Discovering New Points of Differentiation », *Harvard Business Review 97408*, July 1997.

de répondre à toute une série de questions comme : Comment les gens prennent-ils conscience de votre produit / service? Où trouvent-ils votre offre? Qu'est-ce qui influence leur décision finale? De quelle façon commandent-ils le produit? Qu'arrive-t-il lorsque le produit est livré? Comment est-il installé? Comment est-il payé?, etc.

Une réussite durable passe par une stratégie unique.

Les stratégies génériques ne suggèrent que les grandes caractéristiques de ce que fait l'organisation et sûrement pas l'essence de son avantage concurrentiel.

Pour capter cette essence, il faut aller beaucoup plus dans le détail.

> Conceptualisation, définition d'objectifs communs, construction, mise en application des moyens qui vont permettre de maintenir l'entreprise en équilibre avec l'environnement, votre stratégie tient-elle de la prose ou du grand art?
>
> Les stratégies qui réussissent sont uniques et peuvent difficilement être copiées.

POUR EN ARRIVER À DE VÉRITABLES ALLIANCES STRATÉGIQUES

lundi 10 février 2003

Louis Hébert

Une entreprise apprend par les journaux que son concurrent immédiat se fait acquérir par son propre partenaire européen, une multinationale jusqu'alors responsable de la commercialisation de sa technologie innovatrice en Europe. Soudainement, ce partenaire qui connaît sa technologie et contrôle l'accès à ses clients est devenu... un concurrent.

Cet exemple vient souligner à quel point les alliances sont devenues des éléments importants de la stratégie de plusieurs entreprises, et particulièrement pour les PME.

Ces ententes, où deux entreprises (ou plus) regroupent des ressources et compétences, sont stratégiques parce qu'elles touchent des activités, des produits, des technologies ou des marchés qui sont primordiaux pour l'entreprise. Les alliances stratégiques peuvent prendre des formes variées – contractuelle, coentreprise (*joint venture)* ou prise de participation minoritaire – et toucher à diverses activités : distribution, sous-traitance, échange technologique, R&D en commun, etc.

Les raisons menant à la création d'une alliance sont multiples. Il peut s'agir d'améliorer les coûts et la qualité de composantes, d'étendre ses activités à de nouveaux marchés et même d'obtenir des compétences et technologies manquantes.

Pour une PME, une alliance est un moyen de composer avec ses ressources et moyens limités et de réaliser avec un partenaire ce qu'elle ne pourrait se permettre seule.

Véritable ou pseudo-alliance?

Plusieurs gestionnaires diront que, malgré leurs multiples promesses, les alliances sont complexes à gérer et les problèmes de performance sont fréquents.

Bien sûr, tous cherchent à former une véritable alliance stratégique, c'est-à-dire une alliance où les objectifs des partenaires sont clairement spécifiés et cohérents entre eux. C'est une relation où les partenaires continuent à investir et dans laquelle ils participent activement – deux signes d'engagement soutenu. Les risques et bénéfices y sont partagés de manière équitable. L'alliance est perçue comme une entité particulière avec des besoins uniques. Son contrat est un ensemble de paramètres et de principes qui peuvent être adaptés dans une certaine mesure aux circonstances.

Toutefois une entreprise peut aussi se retrouver avec une pseudo-alliance, c'est-à-dire une alliance perçue comme une simple transaction.

Les partenaires ne voient pas l'intérêt de continuer à investir, ni à s'y commettre sérieusement après son démarrage. La répartition des bénéfices et des risques n'est pas nécessairement égale et l'un des partenaires peut avoir plus à gagner ou à perdre qu'un autre. Le contrat est essentiellement un livre de règlements à suivre à la lettre et l'alliance est perçue comme une affaire parmi tant d'autres, sans besoins particuliers. Les objectifs peuvent être ambigus, peu cohérents et parfois même carrément divergents.

Comment s'assurer de former de véritables alliances et éviter les pseudos-alliances? Comme le démontre l'expérience de plusieurs entreprises, une alliance peut être vue comme un processus (figure 1, voir page 203), c'est-à-dire un processus qui débute avec la décision de former une alliance et de rechercher un partenaire et qui se termine avec la dissolution ou la continuation de l'alliance.

Une telle perspective permet d'identifier les défis majeurs à relever à différentes phases du cycle de vie d'une alliance. Voici quelques éléments cruciaux pour le succès d'une alliance :

1. Définir clairement ses objectifs. Quels sont les bénéfices recherchés, tant du point de vue stratégique que financier? Qu'est-ce que signifie un succès pour l'entreprise? Avons-nous envisagé les conséquences de l'échec possible de l'alliance? De par une alliance, une entreprise peut poursuivre une grande variété d'objectifs, à la fois stratégiques et économiques. Comparativement aux objectifs financiers, les objectifs dits stratégiques peuvent être vagues et difficiles à mesurer. C'est pourquoi une définition claire de l'intention stratégique et des objectifs de l'alliance est la pierre d'assise de tout le processus. Le succès d'une alliance dépend en premier lieu de la capacité d'une entreprise à définir clairement l'intention stratégique de l'alliance.

2. Choisir le bon partenaire. Le bon partenaire, c'est celui qui possède les compétences et les ressources que vous recherchez, avec qui vous pouvez travailler et dont les objectifs sont cohérents aux vôtres. Bien sûr, le partenaire idéal sera difficile à trouver. Des compromis seront nécessaires, et plus il y en aura à faire, plus les risques de conflit augmenteront. Assurez-vous aussi que votre partenaire comprend vos attentes aussi bien que vous comprenez les siennes.

3. Conclure une entente *gagnant–gagnant*. L'entente se doit d'être équitable et de respecter les intérêts de chacun des partenaires. Une bonne entente prévoit un partage équilibré des risques, des engagements et des bénéfices. L'un des partenaires pense avoir été floué? Il croit avoir plus à perdre que l'autre? Ce sentiment d'iniquité peut s'avérer une source d'instabilité pour l'alliance. Si les attentes des partenaires sont claires et partagées, il sera d'autant plus facile de se donner une alliance qui pourra y répondre.

4. Développer un climat de confiance et de coopération. La confiance facilite la gestion d'une alliance. On résout alors les conflits plus facilement, on les évite même, et les partenaires peuvent se concentrer sur le travail à faire plutôt qu'à essayer de s'entendre. Développer la confiance demande du temps et des efforts.

5. Évaluer la performance de l'alliance régulièrement. En suivant de près l'alliance, on s'assure que les petits problèmes sont réglés rapidement avant de devenir des crises qui mineront le climat de coopération. On réduit les risques de surprises; on peut même dissoudre une alliance avant que surviennent des dommages plus importants. Savoir si le partenaire est satisfait est également essentiel pour évaluer la performance globale de l'alliance. Cette évaluation de la performance nous ramène au point de départ du processus : continuer l'alliance ou la dissoudre? Si l'on continue, doit-on apporter des changements? Sans des objectifs clairs, il s'avère difficile et ambigu d'évaluer la performance ou de savoir où en est rendu une alliance.

La stratégie d'alliance

Des entreprises s'en sortent-elles mieux que d'autres dans le jeu des alliances?

Bien sûr, l'expérience compte énormément, d'autant plus que celle-ci a parfois été acquise au prix d'erreurs coûteuses! Les entreprises les plus efficaces sont souvent celles qui se structurent, s'organisent à l'interne pour gérer d'une manière systématique leurs alliances. Ces entreprises se dotent d'un responsable alliance stratégique.

Reconnaître le caractère stratégique des alliances, c'est en quelque sorte convenir que l'on investira des ressources et surtout des compétences dans leur gestion. C'est aussi s'assurer que quelqu'un de l'organisation sera responsable de cette activité.

Ce ne sera pas une tâche qui incombera de manière irrégulière à tous et personne, ou qui sera oubliée une fois le contrat signé. Il faudra également développer le personnel qui possède à la fois les habiletés interpersonnelles et de négociation ainsi que l'expérience internationale et l'ouverture d'esprit nécessaires pour travailler en contact étroit et quotidien avec le partenaire. Ce sont les individus qui font le succès ou l'échec d'une alliance. Une alliance se construit à partir d'interactions entre des individus membres de deux organisations. Compter sur les bonnes personnes avec les compétences requises devient donc un facteur fondamental de succès.

Les alliances stratégiques : le processus (figure 1)

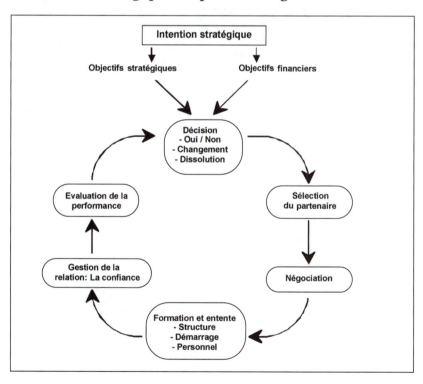

Les entreprises qui ont le plus de succès dans leurs alliances stratégiques sont celles qui se dotent d'un processus de formation et de gestion de leurs alliances.

Un tel processus doit permettre de mieux gérer les défis stratégiques qui se présentent à chacune des étapes du cycle de vie d'une alliance.

Reconnaître le caractère stratégique des alliances, c'est aussi convenir qu'il faudra y consacrer des ressources et des compétences requises pour leur formation et leur gestion.

CONSTRUIRE UNE STRATÉGIE DISTINCTIVE EST UNE TÂCHE DE LONGUE HALEINE

lundi 3 mai 2004
Taïeb Hafsi

Lorsqu'on étudie les entreprises à succès, c'est le caractère créatif de leurs stratégies qui explique le mieux leur réussite et leur durabilité. Elles se distinguent d'une manière qui est spectaculaire. IBM est devenue la grande entreprise qui a dominé l'informatique traditionnelle depuis 40 ans parce que ses dirigeants ont eu le courage de l'éloigner de la course à la technologie la plus avancée pour répondre aux besoins de compatibilité qui préoccupaient les clients. Sony a remarquablement réussi dans un marché très difficile, où tout produit est immédiatement copié, en développant un système de génération d'innovations impossible à copier. Les copieurs ont été ainsi étouffés par une machine qui généraient 500 à 800 nouveaux produits par an. Dell a réussi un positionnement contre-intuitif en se concentrant d'abord sur les corporations et les institutions publiques et en s'éloignant des circuits de distribution traditionnels. Et les exemples sont nombreux et souvent popularisés par la grande presse.

Cependant, on pourrait rapidement conclure que l'acte de création est essentiellement intellectuel et que le plus difficile est de penser à quelque chose de nouveau. Pas du tout. Lorsqu'on pense à quelque chose de nouveau, l'exercice ne fait que commencer. En fait, il faut littéralement construire une nouvelle position sur le marché. Tant qu'on ne l'a pas réalisée, il ne s'agit que d'une idée sans valeur. Le problème est que l'incertitude du monde des organisations est telle que nous ne savons jamais à l'avance si nous allons finalement réussir à être différent et unique. En effet, les idées peuvent ne pas être originales ou, si elles le sont, d'autres peuvent aussi y penser en même temps que nous. Dans ce cas, si on imagine que plusieurs peuvent tenter au même moment de développer le même concept unique, au bout du compte, aucun ne sera vraiment unique. On ne sait jamais à l'avance si on va vraiment être différent. On doit donc construire l'unicité et le caractère distinctif en prenant beaucoup de risques et, dans ce cas, l'intuition est au moins aussi importante que l'analyse.

Heureusement, il y a beaucoup d'aspects qui contribuent à la distinction et ceux-ci peuvent être développés au fur et à mesure que les dirigeants comprennent les tendances et les forces qui constitueront les marchés de demain. Ainsi, Michael Dell[1] voulait, au départ, simplement vendre des micro-ordinateurs et survivre. Éconduit par les réseaux de distribution traditionnels, il fut obligé de trouver des clients corporatifs suffisamment connaisseurs de la nature du produit pour ne pas avoir peur de producteurs nouveaux. Ce faisant, il a inventé une toute nouvelle façon de vendre les micro-ordinateurs. Lorsque ce fut fait, il s'était nettement distingué de tous les autres, mais il réalisa alors que pour confirmer son avantage, il fallait qu'il aille plus loin et qu'il construise le système de production, la logistique, la relation avec la clientèle, le service, le développement, et en général le mode de fonctionnement interne, qui allaient renforcer ce nouvel avantage et faire de sa position une citadelle difficile à assiéger et à prendre. C'est cette construction-là, plus que l'idée de positionnement, qui explique que cette entreprise est aussi profitable dans un marché où toutes les entreprises sont en difficulté.

Cela suggère que les avantages concurrentiels durables sont souvent liés au fonctionnement de l'organisation. Lorsqu'on travaille sur l'organisation elle-même, les concurrents ne savent pas vraiment ce qu'il faut copier. De plus, le mode de fonctionnement et le mode de management sont très difficiles à copier. Ainsi, être

---

1. L'Université Harvard a publié un cas sur Dell, intitulé *Matching Dell*, dont les auteurs principaux sont Jan Rivkin et Michael Porter. Réf. : N° 9-799-158, 6 juin 1999. Ce cas a été traduit en français par Mouloud Khelif, étudiant au Doctorat en administration des affaires, HEC Montréal, avril 2003.

différent et être unique revient souvent à construire une organisation qui, dans son fonctionnement, est différente et unique. Sony ou 3M sont uniques, non pas parce qu'elles ont des produits uniques, mais parce qu'elles ont construit des organisations qui génèrent de façon récurrente ces produits uniques. Honda et Toyota sont uniques, non seulement parce qu'elles fabriquent des produits de qualité, mais surtout parce que leur système de gestion est difficile à copier, même lorsqu'elles s'ouvrent au regard scrutateur de leurs concurrents, comme elles l'ont fait. De plus, on ne sait pas trop comment les copier parce que les spécialistes disent qu'il y ambiguïté quant à l'origine de leur avantage concurrentiel.

Dans la construction de cette organisation, le rôle des dirigeants est considérable. Ils inspirent le désir d'être unique en développant des valeurs qui vont baliser le chemin et en contribuant à transmettre ces valeurs aux acteurs clés. Aussi, ils gèrent le processus délicat qui amène les membres de l'organisation, souvent dérangés par l'incertitude causée par le changement, à ne pas se disperser ou se détruire mutuellement dans la construction d'un avantage concurrentiel durable.

Toutefois, l'organisation est souvent conçue pour soutenir un certain positionnement. Lorsque le positionnement s'affaiblit, comme ce fut le cas pour Apple dans les micro-ordinateurs ou pour GM dans l'automobile, l'organisation doit être reconstruite, ce qui représente une des tâches les plus difficiles qui soit. Un véritable avantage concurrentiel est probablement toujours durable. Mais aucun n'échappe au travail à la fois créateur et destructeur[2] des entrepreneurs d'aujourd'hui à la recherche des avantages de demain. Grâce à eux, la roue de la création tourne sans fin à l'horizon.

---

2. Chaque fois qu'un entrepreneur réussit à créer quelque chose de nouveau, il détruit du même coup l'ancienne (chose) qu'il remplace.

Les stratèges créatifs d'aujourd'hui se concentrent sur les avantages de demain.

Mettre en place une nouvelle stratégie n'est pas qu'une affaire de création ou d'idée. Il faut littéralement construire une nouvelle position, unique, sur le marché.

L'unicité s'étend, la plupart du temps, au fonctionnement même de l'organisation.

C'est une opération risquée et le rôle des dirigeants y est primordial.

LA PME SOUS-TRAITANTE : UNE EXTENSION DU SYSTÈME LOGISTIQUE DU DONNEUR D'ORDRES

lundi 10 mars 2003
Alain Halley

Dans une étude à l'échelle canadienne[1] que nous avons réalisée à l'automne 2000 auprès de 2 000 entreprises, près des deux tiers des répondants[2] exécutaient, sur une base permanente, des contrats en sous-traitance auprès de donneurs d'ordres (souvent de grande taille). La moitié des répondants affirmaient que leur entreprise avait été créée à la suite de l'obtention d'un premier contrat en sous-traitance. Nos résultats indiquaient également que les contrats obtenus en sous-traitance représentaient environ 40 % du chiffre d'affaires des répondants et étaient majoritairement obtenus auprès d'un unique donneur d'ordres. On observait finalement que les entreprises ainsi créées survivaient moins longtemps et en moins grand nombre que les autres.

Comme ces résultats permettent de le constater, l'euphorie des premiers contrats obtenus en sous-traitance a généralement été succédée par une période d'ajustements entre la PME sous-traitante et le donneur d'ordres. Pour plusieurs PME, cette diffi-cile transition s'est traduit par une réduction ou tout simplement une interruption des commandes et malheureusement la fin d'une relation qui était pourtant à l'origine de la création de l'entreprise. Si les raisons expliquant un tel phénomène sont nombreuses, elles demeurent pourtant méconnues et souvent mal comprises de nombreux dirigeants.

---

1. Il s'agit d'une étude réalisée en collaboration avec le FCEI : HALLEY, Alain. *Étude portant sur les activités de sous-traitance chez les entreprises canadiennes : une comparaison des quatre grandes régions du pays*, cahier de recherche n° 00-10, groupe CHAÎNE, septembre 2000, 35 pages.

2. Plus de 99 % des répondants correspondaient à la définition d'une PME.

À l'origine, les PME parviennent généralement à décrocher un premier contrat en sous-traitance du fait que leurs dirigeants ont réussi à s'intégrer dans les réseaux d'affaires de donneurs d'ordres et à y faire reconnaître une expertise technique généralement hors pair. Le donneur d'ordres est alors convaincu d'obtenir auprès du sous-traitant une prestation de qualité supérieure ou à tout le moins équivalente à celles que lui permettent ses propres capacités internes, et ce, à moindres coûts. Les besoins exprimés par le donneur d'ordres lors des contrats initiaux sont généralement peu complexes, se limitant souvent à des contributions ponctuelles de la part de la PME sous-traitante (comme pallier un manque de capacité chez le donneur d'ordres, fabriquer ou assembler une pièce au design simple, réduire les coûts grâce à des volumes importants, etc.). De nombreux dirigeants de PME développent alors un faux sentiment de sécurité lié à la réputation du donneur d'ordres, au volume d'affaires qu'il peut générer à court terme, à de bonnes paroles à l'égard de la performance du sous-traitant ou encore à l'utilisation de termes comme *partenariat*.

Dans les faits, les grands donneurs d'ordres sont en général plutôt réfractaires au développement de véritables partenariats avec des petites ou très petites entreprises. De plus, et comme de nombreux cas l'ont démontré, notamment dans les secteurs de l'automobile, de l'aéronautique et du commerce de détail, les exigences des donneurs d'ordres évoluent rapidement et souvent *a posteriori* d'un contrat initial. Pourquoi? Tout simplement parce que les bénéfices qu'ils peuvent obtenir à la suite du déploiement d'une stratégie de sous-traitance ne se limitent pas à des économies d'échelles ou encore à des avantages technologiques intrinsèques au produit ou même au procédé de fabrication. Pour le donneur d'ordres, des avantages concurrentiels importants peuvent être obtenus en gérant adéquatement sa chaîne logistique, c'est-à-dire en favorisant :

– une contribution accrue de tous les sous-traitants impliqués dans le design, la conception et la fabrication de produits performants

(ingénierie simultanée, Shukko ou assignation d'employés chez un sous-traitant, etc.);
- une spécialisation technique et une maîtrise accrue des procédés de fabrication par les sous-traitants (nouvelles technologies, qualité, amélioration continue);
- une réduction des cycles et des délais dans toutes les phases de la réception de la commande jusqu'à la livraison finale (*Time Based Management*, réduction du *Time to Market*, *juste-à-temps*, SMED, etc.);
- une diminution des stocks jumelée à un accroissement de la disponibilité des produits et à une augmentation de la fréquence des livraisons directement au point d'utilisation (ECR, réapprovisionnement continue, stocks en consignation, etc.).

Si les PME apparaissent comme étant généralement bien positionnées en ce qui concerne les deux premiers éléments caractérisant cette dynamique d'intégration de la chaîne logistique des donneurs d'ordres, il ne faut toutefois pas être surpris si plusieurs d'entre elles, dépassées par l'ampleur des exigences logistiques parfois capricieuses de certains donneurs d'ordres, vont jusqu'à interrompre certaines relations d'affaires. Pour survivre dans cet environnement de plus en plus dynamique, la PME sous-traitante doit être en mesure d'offrir des solutions intégrées avec un portefeuille de ressources souvent limitées. Elle doit assumer des responsabilités élargies menant à la livraison de produits de très haute qualité et qui performent dans des délais de plus en plus courts. Pour y parvenir, la PME devra en outre accroître ses habiletés et ses capacités logistiques, ce qui, à terme, facilitera son imbrication dans la chaîne logistique des donneurs d'ordres.

Dans tous les cas, les dirigeants de PME doivent être conscients que cette évolution / révolution dans leurs pratiques de gestion offre un potentiel intéressant pour soutenir la croissance future de leurs activités : augmentation du chiffre d'affaires et des parts de marché, accroissement de la rentabilité, création d'emplois,

développement de compétences distinctives et acquisition d'une expertise supérieure. Pour la PME, il convient alors de stimuler :
- la création d'un portefeuille de relations adaptées (contrats à court, moyen ou long terme, concurrence, partenariat ou alliance), le partenariat n'étant pas le remède à tous les maux;
- la coopération avec tous les acteurs, clients comme fournisseurs (ouverture et transparence, communication efficace, recherche de solutions et non de coupables, fournir l'assistance nécessaire, etc.);
- l'imbrication des pratiques clés avec celles des différents acteurs de sa chaîne logistique (objectifs communs, travail d'équipe, compatibilité des systèmes et procédures, partage de ressources, etc.);
- le développement d'habiletés génériques (s'adjoindre des compétences, notamment en gestion de la chaîne logistique et en gestion des approvisionnements).

Les exigences des donneurs d'ordres évoluent rapidement.

En conséquence, plusieurs PME qui avaient réussi à décrocher un premier contrat en sous-traitance se trouvent dans l'impossibilité de poursuivre leur relation d'affaires avec ce donneur d'ordres.

Le dirigeant d'une PME devra se préparer à accroître ses habiletés et ses capacités logistiques s'il veut s'imbriquer davantage dans la chaîne logistique des donneurs d'ordres.

Il parviendra ainsi à offrir des solutions intégrées ainsi que des produits de très haute qualité et performants dans des délais de plus en plus courts.

NOUVELLE COMPÉTITIVITÉ : LE DÉFI DE LA STRATÉGIE RÉSEAU

lundi 12 mai 2003
Réal Jacob

Toutes les PME n'ont pas le même profil. Cependant, pour celles qui naviguent sur les marchés étrangers, qui doivent exploiter des créneaux de niche, qui transigent régulièrement avec des grands donneurs d'ordres, bref pour les PME qui fonctionnent dans une logique de marché et de ressources de plus en plus mondialisée, un constat s'impose : il est de plus en plus difficile de relever seul les défis de la nouvelle compétitivité.

Un rapport récent du Conference Board (www.conference-board.org) démontre avec force que les entreprises qui fonctionnent en réseau ont une meilleure performance globale que les entreprises non collaboratrices, que leur rythme d'introduction de produits et de procédés d'innovation est plus rapide, que la proportion de leur volume d'affaires en lien avec des nouveaux produits est plus importante et que leur propension à générer des innovations de rupture (*break through innovations*) est plus grande.

Travailler en réseau rapporte donc des dividendes. Mais de quels réseaux parlons-nous? Comment la PME peut-elle valoriser cette stratégie?

Réseaux d'information

Les PME doivent être à l'affût des connaissances stratégiques émergentes dans leur domaine, que ce soit sous l'angle d'une fonction (par exemple, les chaînes logistiques intégrées, les approches de personnalisation en marketing) ou de grandes tendances (comme les affaires électroniques, les nouvelles attentes des grands donneurs d'ordres). Des réseaux tels que Sous-traitance industrielle du Québec (www.stiq.com), le Mouvement de la Qualité (www.qualite.qc.ca), le CEFRIO (www.cefrio.qc.ca) ou le CRIM (www.crim.ca) permettent aux PME de se tenir à jour sur des tendances émergentes et d'avoir accès à des outils de diagnostic et d'étalonnage (*benchmarking*) de pointe.

Réseaux d'apprentissage

Les réseaux d'apprentissage sont centrés sur le développement des personnes et de l'apprentissage par les pairs. Ils visent autant le propriétaire-dirigeant que les membres de son équipe de direction et certains de ses employés clés. Les clubs d'entraide et les clubs sur mesure du Groupement québécois des chefs d'entreprises (www.groupement.qc.ca), les approches de groupe et l'accès à la banque de savoirs qui se trouve au sein du réseau Valotech (www.valotech.org) représentent de bons exemples de cette forme de réseau.

Réseaux d'innovation

Innover pour se démarquer. L'enquête 2002 du Laboratoire sur la performance des entreprises (www.pdg-pme.ca) est catégorique : les PME les plus innovantes utilisent de manière beaucoup plus importante les réseaux à signaux faibles tels que les centres de recherche et les universités. Trop souvent oubliés par les PME, ils représentent pourtant des trésors cachés. On pense notamment à tous les centres de recherche universitaires (www.acfas.ca/repertoire/index.html) et au réseau des centres collégiaux de transfert (www.cst.gouv.qc.ca). Le réseau québécois des entreprises innovantes (www.adriq.com) se présente également comme un carrefour facilitant la mise en relation de la PME avec ces centres de recherche.

Réseaux sectoriels

Ces réseaux visent à regrouper des PME autour d'une problématique sectorielle commune à tous les partenaires. Cela a été le cas, notamment, du réseau de l'optique-photonique dans la région de Québec qui regroupait les PME du secteur, trois centres de recherche, TechnoCompétences (www.technocompetences.qc.ca) ainsi que certains partenaires gouvernementaux dont l'un des objectifs était de développer et de conserver une main-d'œuvre de classe mondiale dans ce domaine de pointe. C'est aussi grâce au partenariat que les PME membres du Réseau Acier Plus (www.acierplus.com) ont été en mesure de partager l'accès aux meilleurs logiciels du domaine et de commander collectivement plus de 39 000 heures de formation continue en 2001 pour les besoins spécifiques de leur main-d'œuvre.

Du château au réseau

Le recours à la stratégie réseau implique trois grandes étapes. La première consiste à identifier les compétences clés que la PME doit développer en vue de maintenir et d'améliorer sa position concurrentielle. Il lui faut ensuite déterminer autour de quels procédés, de quelles compétences de gestion, de quelles compétences techniques, de quels marchés elle doit articuler sa stratégie réseau. La réponse à ces questions permet d'identifier des réseaux porteurs comme ceux que nous venons d'évoquer.

La deuxième étape vise à confier des mandats de réseautage : qui participe à quel réseau et avec quels objectifs pour la PME ?

La troisième étape, trop souvent oubliée, renvoie à l'idée du bilan et du plan d'action. Comment partager ces informations parmi les membres de l'équipe de direction ? Comment insérer ces nouvelles perspectives au cœur des opérations de la PME ? Comment former nos ressources humaines à ces nouvelles pratiques apprises au sein des réseaux?

Les réseaux permettent aux PME de surveiller, d'apprendre, d'escompter, de résoudre des problèmes en commun et d'innover. Mais pour que l'effet réseau se produise, l'entrepreneur-propriétaire doit, comme l'illustre la figure 1, redéfinir son rôle de dirigeant. L'entrepreneur est un homme ou une femme d'action qui a toujours privilégié l'autonomie et l'indépendance. Or, la nouvelle compétitivité qu'il doit affronter suggère qu'il s'ouvre à des valeurs différentes telles que l'interdépendance, la coopération inter-firme et le partage d'information.

Référence utile : JULIEN, P.A., L. RAYMOND, R. JACOB, et G. ABDUL-NOUR (sous la direction). *L'entreprise-réseau : concepts et applications. Dix ans d'expérience de la Chaire Bombardier Produits récréatifs*, Presses de l'Université du Québec, 2003.

La transformation du rôle du dirigeant de PME (figure 1)

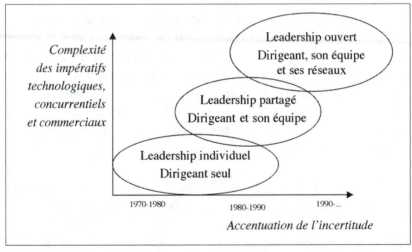

Source : JULIEN, P. A., et R. JACOB. « La transformation du rôle de l'entrepreneur et l'économie du savoir », *Revue Gestion*, vol. (24), 3, 43-50, septembre 1999.

Il est de plus en plus difficile de relever seul les défis de la nouvelle compétitivité.

Les entreprises qui fonctionnent en réseau ont une meilleure performance globale que les entreprises non collaboratrices.

Pour que l'effet réseau se produise, l'entrepreneur-propriétaire doit redéfinir son rôle de dirigeant.

LA GESTION DES RISQUES DANS LES CONTRATS D'IMPARTITION

lundi 1er mars 2004

Benoît A. Aubert

L'impartition est de plus en plus utilisée par les entreprises pour l'obtention de services informatiques. Au Canada, la Banque Nationale, Bell, Alcan, Postes Canada et Desjardins ne sont que quelques exemples d'organisations qui ont confié des portions significatives de leurs services informatiques en impartition.

Le recours à des fournisseurs externes offre plusieurs avantages dont l'accès à une expertise de pointe, l'augmentation de la qualité des services, la concentration sur ses compétences clés et la réduction de coûts. Cependant, certaines firmes font face à des coûts de transition et de gestion imprévus, à des coûts de service cachés, à des coûts élevés de renégociation de contrats, à des conflits avec leur fournisseur et même à des niveaux de service inférieurs à ceux qui avaient été prévus dans leur entente.

Bien que l'impartition d'activités de technologies de l'information ne soit pas exempte de risques, il existe des pratiques qui permettent d'en retirer les bénéfices et d'en éviter les écueils[1].

La rédaction d'un contrat d'impartition demande que l'éventail des activités soit déterminé avec précision et que chacune soit décrite en détail. Lorsqu'elles n'ont jamais eu l'occasion de procéder à un tel exercice avant d'impartir, les organisations ont souvent tendance à sous-estimer l'ampleur des tâches à effectuer. Elles signent alors des contrats trop limités et les gestionnaires voient avec surprise des activités leur être facturées en supplément de l'entente initiale. On peut prendre de trois à six mois pour valider les mesures

---

1. AUBERT, Benoit A., Michel PATRY, et Suzanne RIVARD. « Gérer le risque d'impartition des technologies de l'information », *Revue Gestion*, hiver 2004, 37-51.

prévues au contrat et profiter d'une période de balisage au cours de laquelle les lectures sont prises et servent ensuite d'étalon pour évaluer la performance du fournisseur. L'étalonnage (*benchmarking*) est parfois utilisé pour valider les prix et les niveaux de service. Le défi de cet exercice est de s'assurer que la base de comparaison des activités est valide.

Un autre des défis majeurs est le choix du fournisseur. On demandera aux fournisseurs potentiels de faire, dans leur offre de service, la démonstration de leurs compétences. On vérifiera notamment la taille et la stabilité financière de chaque fournisseur et l'étendue de son expérience. On vérifiera aussi l'adéquation culturelle. Que ce soit sa façon de travailler, son traitement des ressources humaines (surtout si les employés du client sont transférés vers le fournisseur) ou son attitude, il faut s'assurer que les deux organisations sont compatibles et travailleront efficacement ensemble.

Au-delà d'un contrat, on voudra gérer une relation avec son fournisseur. Le type de contrat régissant l'entente d'impartition est crucial. Il définira les paramètres de la relation entre les partenaires. Le contrat peut agir comme un filtre. Un fournisseur qui se sait compétent acceptera de s'engager dans un contrat où sa rétribution est liée à sa performance puisqu'il a confiance en sa réussite. Un fournisseur moins performant évitera de tels contrats.

Client et fournisseur devront nécessairement apprendre à se connaître et à s'ajuster mutuellement. Pour ce faire, on prévoit des comités de gestion et de suivi permettant aux parties d'échanger de l'information. On pourra également procéder à des échanges d'employés ou à des affectations de personnel du fournisseur au site du client. Une façon intéressante de motiver un fournisseur est la création d'une entente de partenariat, car le potentiel de gains conjoints stimulera le fournisseur à investir davantage dans la relation et à faire des efforts additionnels. Certains contrats lient les paiements à la performance du fournisseur avec un système de boni et de pénalité. Ces mesures transfèrent au fournisseur une portion du risque lié à l'exécution des activités. Il faut qu'elles visent les activités clés sur lesquelles on veut vraiment garantir un service hors pair. Il y a généralement un seuil maximal de risque que le fournisseur sera prêt à assumer. Il faut également, pour pouvoir appliquer de tels mécanismes, que le fournisseur soit entièrement responsable des activités visées.

Les contrats séquentiels, c'est-à-dire l'adjudication en cascade de plusieurs contrats de courte durée, permettent aux parties de faire face aux besoins changeants de l'entreprise cliente. Une entente cadre fixe les paramètres généraux de la relation entre les parties et des annexes sont ajoutées à mesure que sont définis les éléments à livrer.

Dans le cas des ententes d'impartition de services de technologies de l'information, les poursuites judiciaires sont un recours onéreux et peu efficace. Par contre, il est possible de s'entendre, lors de la signature du contrat, sur une structure d'arbitrage privé. Des arbitres auxquels les deux parties font confiance peuvent trancher lors de différends, de manière plus rapide et efficace qu'un juge.

Finalement, pour les firmes ayant un important volume d'affaires, il est parfois possible de recevoir des services similaires de fournisseurs différents (ou de conserver une portion du service à l'interne). Cela crée de cet fait une situation de compétition qui permet de comparer les coûts et la qualité du service entre les fournisseurs. De plus, le client se voit ainsi assuré d'une relève en cas de défaut d'un des fournisseurs. Les rôles des deux fournisseurs doivent cependant être clairement définis et délimités afin d'éviter les zones grises de responsabilité entre les deux.

En conclusion, l'impartition peut entraîner des gains importants, mais à condition de gérer activement les risques qui en découlent. C'est la meilleure façon d'en retirer le maximum de bénéfices.

La rédaction d'un contrat d'impartition précise la nature et l'importance des activités de même que les rôles et responsabilités de chacun des partenaires.

Tout doit être précisé dans les moindres détails.

Un bon contrat peut être d'une grande utilité en ce qui concerne la gestion de l'entente d'impartition. Il peut aider à gérer la relation avec le fournisseur, à répartir les risques et à gérer les conflits.

LES FUSIONS ET ACQUISITIONS SONT-ELLES PROFITABLES?

lundi 2 février 2004
Claude Francoeur

Même si elles sont moins nombreuses que dans les années 90, les fusions et acquisitions d'entreprises sont encore très populaires et continuent de susciter beaucoup d'intérêt auprès de la communauté d'affaires.

Au Québec, la prise de contrôle de Pechiney par Alcan en est un exemple. Ces regroupements constitueraient un moyen de faire face à la concurrence et de s'adapter aux changements de l'environnement économique. On les justifie souvent par une augmentation de la valeur boursière de la firme et par un accroissement de la performance post-acquisition.

Les gains escomptés proviendraient principalement de deux facteurs. Premièrement, les synergies interentreprises entraîneraient des gains d'efficience et des économies d'échelle. Deuxièmement, des gains pourraient découler d'un effet de discipline lié à l'application de méthodes de gestion plus rigoureuses que celles en place dans l'entreprise acquise.

Or, les résultats des études scientifiques tendent à montrer que la majeure partie des gains potentiels sont réalisés par les entreprises cibles plutôt que par les entreprises acquéreuses. De façon générale, ces dernières ne réaliseraient aucun gain ou, pis encore, accuseraient une diminution de valeur importante.

Vu l'engouement pour les fusions et acquisitions, le phénomène constitue une véritable énigme. Pourquoi les dirigeants persistent-ils à procéder à de tels regroupements? Quels sont les facteurs de succès des opérations de fusion et d'acquisition? Les recherches réalisées sur ce thème fournissent des pistes de réponse.

Des explications

Le phénomène de transfert de valeur de l'entreprise acquéreuse vers l'entreprise cible proviendrait, en partie, du pouvoir de négociation de cette dernière. Les mécanismes de défense et la surenchère générée par les offres multiples sont tels que le prix payé inclurait une prime qui excède les gains escomptés.

Les chercheurs ont identifié deux autres facteurs qui influent négativement sur le succès financier des entreprises acquéreuses : l'excès de confiance et l'opportunisme managérial.

Dans le premier cas, l'excès de confiance, la fierté et l'arrogance de certains dirigeants les amèneraient à surestimer les gains découlant de synergies et à verser une prime excessive à l'entreprise cible. D'autre part, certains dirigeants effectueraient des acquisitions pour le prestige qu'ils en retirent ou pour s'enraciner dans leur entreprise. Même si ces projets s'avèrent non rentables sur le plan financier, ils investiraient dans des secteurs qui rendent leurs compétences spécifiques indispensables. Ils obtiendraient ainsi une meilleure rémunération et seraient moins susceptibles d'être remplacés.

Ces conclusions découlent essentiellement de recherches effectuées auprès d'entreprises américaines et touchent des regroupements intranationaux. Peu d'études ont porté sur des entreprises canadiennes et leurs résultats sont contradictoires. Au stade actuel, on ne peut affirmer que les entreprises acquéreuses canadiennes détruisent de la valeur lorsqu'elles procèdent à des regroupements d'entreprises à l'intérieur du pays.

Par ailleurs, les entreprises canadiennes sont très actives sur le plan des regroupements transfrontaliers. Le rapport sur l'investissement mondial (2001), publié par la Conférence des Nations Unies sur le commerce et le développement, indique que le Canada présente une croissance de ses investissements étrangers de 30,9 %, ce qui le classe au cinquième rang mondial pour la période de 1995 à 2000.

En comparaison, la moyenne mondiale fut de 26,5 % alors que celle des États-Unis se situait à 8,6 %. La valeur totale des investissements canadiens à l'étranger a culminé à plus de 44 milliards en 2000. Or, plus de 85 % des investissements étrangers sont effectués par le biais de fusions et d'acquisitions.

Notre récente étude, qui porte sur plus de 1 000 regroupements transfrontaliers réalisés par des entreprises canadiennes entre 1985 et 2000, démontre que les marchés financiers canadiens voient ce type d'activité d'un très bon œil. Non seulement la valeur des actions augmente au moment de l'annonce de tels regroupements, mais on observe également un maintien de cette valeur durant la période post-acquisition.

Nos entreprises canadiennes ont procédé à des fusions et acquisitions dans plus de 60 pays durant cette période, mais environ 60 % visaient des cibles américaines. Dans les deux tiers des cas, l'entreprise absorbante a acheté les actifs de l'entreprise cible, alors que dans les autres cas, il s'agissait de prises de contrôle par acquisition d'actions. Les entreprises de produits industriels, d'or et de métaux précieux ainsi que de l'industrie pétrolière représentaient plus de la moitié des transactions observées. Enfin, contrairement aux fusions intranationales qui sont souvent qualifiées d'hostiles, la quasi-totalité de ces regroupements transfrontaliers découlaient de négociations amicales.

Outre la force relative du dollar canadien qui explique, en partie, le succès des opérations examinées, notre étude démontre clairement que ce sont les entreprises qui possèdent des actifs dits *de la connaissance* (marques de commerce, main-d'œuvre spécialisée, technologies, etc.) qui ont du succès. Ces entreprises réussissent, grâce à ces regroupements, à faire face à la concurrence internationale et à générer des gains d'efficience en mettant en valeur leurs expertises et leur savoir-faire sur les marchés étrangers. Cette capacité de transfert d'expertise à l'entreprise cible est certainement un élément à considérer avec soin lors de l'évaluation d'un projet de regroupement transfrontalier.

Fusions et acquisitions

Création de valeur	*Destruction de valeur*
Gains d'efficience	*Excès de confiance*
Économies d'échelle	*Recherche de prestige*
Effet de discipline	*Enracinement*

Les fusions et acquisitions sont toujours populaires, mais elles ne parviennent pas toujours à générer les gains escomptés au départ.

Les entreprises canadiennes qui possèdent des actifs dits de la connaissance (marques de commerce, main-d'œuvre spécialisée, technologies, etc.) génèrent de la valeur pour leurs actionnaires lors de fusions et acquisitions transfrontalières.

Ces entreprises réussissent à faire face à la concurrence international et à générer des gains d'efficience en mettant en valeur leurs expertises et leur savoir-faire sur les marchés étrangers.

LES PME DOIVENT COMPTER SUR UN ENVIRONNEMENT D'AFFAIRES STIMULANT

lundi 2 juin 2003

Alain Lapointe

Les PME jouent un rôle de premier plan dans l'économie du Québec. Elles représentent 98 % du total des entreprises et 44 % de l'emploi. Elles constituent la principale source de création d'emploi. Dans une étude récente, la Banque de Montréal souligne que le Québec se classe loin derrière l'Alberta et l'Ontario comme foyer de croissance des petites entreprises au Canada. Durant la période 1998-2002, sur les 111 régions urbaines (10 000 habitants ou plus) que compte le Canada, aucune région québécoise ne s'est retrouvée dans les deux premiers déciles en terme de croissance du nombre de petites entreprises par individu. Pour sa part, la région de Montréal se classe à ce chapitre au 14e rang des 25 régions métropolitaines canadiennes alors que Toronto se situe au 2e rang. On peut donc se demander si l'environnement d'affaires au Québec permet de tirer le plein potentiel que représentent le développement et la croissance des PME. Lorsqu'on interroge les dirigeants de PME sur les éléments de cet environnement qui les préoccupent le plus, ils indiquent en priorité le fardeau fiscal global, la réglementation et les formalités administratives.

Le fardeau fiscal global

Une fiscalité trop lourde pèse sur les coûts et peut affecter la compétitivité des PME. Selon le Fraser Institute, le fardeau fiscal au Québec est plus lourd que dans les autres provinces canadiennes. Le taux de taxation de la famille moyenne est le plus élevé au Canada. Aussi, le Québec présente la plus forte propension à taxer les revenus et les salaires avec 37,5 % et 22,3 % des charges fiscales totales provenant de ces deux sources, soit les pourcentages les plus élevés au Canada. Il n'est donc pas étonnant que les dirigeants de PME ciblent les baisses d'impôt sur le revenu et celles sur la masse salariale comme les mesures pouvant leur être les plus bénéfiques.

Cette faible compétitivité fiscale est encore plus évidente à l'échelle continentale. Dans la concurrence que se livrent les grandes métropoles, la région de Montréal présente un des niveaux de taxation les plus élevés en Amérique du Nord. Sur la base des données mêmes du ministère des Finances du Québec, la comparaison de l'ensemble des impôts et taxes que paie une famille avec deux enfants montre que la région montréalaise présente des écarts défavorables importants par rapport aux autres régions métropolitaines nord-américaines. Ces écarts peuvent atteindre plusieurs milliers de dollars pour des revenus familiaux supérieurs à 50 000 $.

Le cadre administratif et réglementaire

La réglementation est nécessaire afin de garantir le bon fonctionnement d'une économie de marché. Elle peut devenir contre-productive si les exigences qui l'accompagnent sont trop nombreuses et que le cadre administratif s'alourdit. Les quelque 225 000 entreprises du Québec sont soumises chaque année à plus de 17 millions de transactions associées à la réglementation. Ces transactions sont réparties en 459 catégories de formalités différentes : permis, licences, certificats, autorisations, etc. Les coûts de telles transactions pour les entreprises sont énormes. Aux États-Unis, où la réglementation est déjà beaucoup moins lourde, on estime ces coûts à 3 % du PIB, ce qui représente pour le Québec une facture de plus de 6 MM$. Selon une étude de la Fédération canadienne de l'entreprise indépendante, 76 % des PME consacrent entre 25 et 38 jours par année à remplir de telles formalités. Des efforts ont été faits au cours des dernières années dans le but de s'assurer que les nouvelles réglementations soient filtrées et analysées du point de vue de leurs impacts sur les entreprises.

Le Secrétariat à l'allégement réglementaire joue à cet égard un rôle de gardien et réalise des études d'impact pour certains projets de règlement. Des efforts restent à faire afin de réduire, simplifier et harmoniser la réglementation existante.

Le rôle des PME dans les stratégies de développement économique

Au cours des années, le Québec s'est appuyé principalement sur une stratégie de développement exogène, basée sur des incitatifs fiscaux de plus en plus généreux qui visaient à attirer les entreprises ou à éviter qu'elles ne quittent. La générosité des incitatifs a été à la mesure du désavantage fiscal par rapport aux régions avec lesquelles le Québec est en concurrence. Les budgets des différents programmes touchant les entreprises ont plus que triplé au cours des cinq dernières années, atteignant 3,3 MM $ en 2001-2002. Dans un document intitulé *Vers le plein emploi : horizon 2005*, le gouvernement du Québec indiquait un changement important de sa stratégie de développement économique, un développement endogène s'appuyant davantage sur la croissance des entreprises locales. On mise sur la création d'un environnement d'affaires qui stimule l'entrepreneurship et facilite l'adaptation des entreprises au changement. Cette nouvelle orientation s'accompagne de mesures d'assouplissement de la réglementation et de programmes d'encouragement à l'essaimage, la création d'entreprises et les partenariats public / privé. Il s'agit là d'un pas important pour soutenir le dynamisme des PME au Québec.

L'environnement d'affaire au Québec doit permettre de tirer le plein potentiel de développement des PME.

Il se doit d'être stimulant et de faciliter le changement.

8.
GÉRER LE CHANGEMENT

En entreprise, rien n'est plus permanent que le changement. Changement technologique, changement d'approche, changement de production, changement de compétences, redressements financiers, expansion, etc.

Les PME ont la réputation de s'adapter au changement plus facilement que les grandes entreprises, mais pour les unes comme pour les autres, l'improvisation n'a pas sa place.

Il est toujours bon de connaître des exemples d'entreprises qui ont réalisé avec succès des changements importants et souvent majeurs pour leur évolution, que ce soit par la technologie, une réorganisation, une restructuration ou un changement de culture organisationnelle.

Il s'agit parfois d'un véritable casse-tête que l'on doit traiter pièce par pièce, tout en ayant en tête une image précise et globale.

Au premier plan, il y a le diagnostic : quel changement doit-on réaliser et pourquoi? Quelles sont les options? Qui le réalisera? Comment? Quelles sont les échéances importantes? Quels sont les principaux enjeux? Choisir de changer, c'est choisir une stratégie, la réaliser en tenant compte du fait que le temps est un partenaire et non un adversaire. La route n'est pas toujours du meilleur pavage, des obstacles peuvent surgir et des résistances se manifester.

Parmi les changements qui affectent le plus une PME se trouve le changement de direction et de propriété, que ce changement se fasse à l'intérieur ou à l'extérieur de la famille. On parle de moins en moins de succession – à cause du côté un peu morbide du terme –, mais on utilise plutôt les mots continuité et pérennité d'une entreprise. Car c'est bien de vie et de dynamisme dont il s'agit. C'est assurer l'existence d'une réalisation importante dans une vie.

Assurer cette continuité, c'est entrer dans un processus de changement, c'est faire appel à des stratégies, c'est prendre son temps et naviguer à son rythme et à celui d'une génération montante qui n'est pas moins enthousiaste et passionnée pour l'entreprise que l'était probablement son fondateur ou le dirigeant actuel.

Dans le cas des entreprises familiales, la question de l'équité dans le partage du patrimoine familial est un enjeu d'importance, car un dirigeant est aussi un père, et l'harmonie dans la famille est à maintenir, souvent coûte que coûte. Si le dirigeant et les membres de la famille se sont apprivoisés la prise de décision et le travail avec l'aide de structures – le conseil d'administration et le conseil de famille –, ce délicat passage pourrait être une belle et chaleureuse expérience.

TRANSFORMER UNE ENTREPRISE : UN CASSE-TÊTE?

lundi 23 février 2004

Suzanne Rivard

Pour de nombreux dirigeants d'entreprises, la déréglementation, la mondialisation et la saturation des marchés ne sont pas des expressions à la mode, mais plutôt des réalités quotidiennes qui posent bien des défis. Pour relever ces défis, plusieurs entreprises cherchent à devenir plus agiles et flexibles. Elles peuvent alors décider d'impartir des activités qui n'appartiennent pas à leur mission première, d'implanter des technologies de pointe pour s'arrimer à leurs clients et à leurs fournisseurs, de modifier leur structure hiérarchique ou encore de s'engager dans des partenariats d'affaires. Quelle approche privilégier? Laquelle est la plus prometteuse de performance accrue? Cela dépend… mais de quoi? C'est ce que notre équipe a tenté de déterminer en analysant le cas d'entreprises qui, si elles sont largement reconnues pour leur agilité et leur flexibilité, ont acquis cette réputation par des voies fort différentes [1]. En voici deux.

La firme danoise Oticon se spécialise dans le domaine de l'aide auditive. Lorsqu'il fut nommé président de la firme, Lars Kolind reçut un mandat de redressement. En effet, après avoir été longtemps profitable et avoir dominé son marché, Oticon était devenue déficitaire. Kolind réalisa rapidement que les mesures traditionnelles de redressement, comme les réductions de coûts, étaient insuffisantes. Les exigences du marché étaient telles que des changements en profondeur s'imposaient.

---

1. RIVARD, S., B.A. AUBERT, G. PARÉ, M. PATRY et H.A. SMITH. *Information Technology and Organizational Transformation: Solving the Management Puzzle*, Butterworth-Heinemann, Oxford, 2004.

Kolind élabora alors une stratégie pour laquelle la mission de l'entreprise deviendrait l'offre de service plutôt que la vente de produit. Selon lui, cette stratégie devait s'accompagner d'une transformation majeure de la structure organisationnelle. Il proposa une structure qu'il nomma l'organisation spaghetti, laquelle éliminait la notion de poste et de département. Il proposa aussi d'abattre les cloisons entre les bureaux, supprimant jusqu'aux contraintes physiques qui empêchaient la transparence et la communication. Le papier devait disparaître pour favoriser la communication verbale et l'information devait être disponible à tous, sous forme numérique. Enfin, les employés devaient pouvoir définir eux-mêmes leur travail en fonction de leurs compétences et le faire évoluer.

La mise en place de l'organisation spaghetti exigea de nombreux efforts de la part de Kolind et de ses employés. Pourtant, la stratégie réussit. Cinq ans après le virage pris par la firme, les profits avaient décuplé. En moins d'une décennie, Oticon avait introduit dix innovations majeures sur le marché de l'aide auditive.

En quoi un vêtement de chez Abercrombie & Fitch et un produit de beauté Avon se ressemblent-ils? Il est fort probable que la conception, l'approvisionnement en matières premières, la fabrication, le contrôle de qualité et le transport de ces deux produits aient bénéficié de l'expertise de Li & Fung.

Difficile de préciser dans quel domaine est cette firme. Quel que soit le bien de consommation courante – produits de beauté, vêtements, jouets – Li & Fung possède l'expertise, le réseau de partenaires et les technologies de l'information qui lui permettent d'identifier les sources d'approvisionnement, de choisir le site de fabrication et de faire en sorte que le produit soit livré au lieu et au moment requis. Et tout cela sans posséder d'entrepôt, d'usine, ou d'entreprise de transport. En effet, Li & Fung se décrit comme une chaîne de valeur virtuelle. Au cœur de sa structure, 70 bureaux d'affaires, répartis dans 40 pays, entretiennent des liens privilégiés avec près de 8 000 fournisseurs. Les technologies de l'information jouent un rôle essentiel dans la coordination des activités des partenaires et constituent un moyen de se démarquer de la concurrence. Li & Fung est une entreprise qui a du succès, l'augmentation régulière de son chiffre d'affaires et de sa marge de profit en font foi.

Qu'ont en commun, à part le succès, ces deux firmes qui semblent pourtant si différentes? D'une part, la capacité de leurs gestionnaires à lire l'environnement, puis à en comprendre les menaces et les opportunités. D'autre part, leur savoir-faire dans l'assemblage des pièces d'un casse-tête qui ne semblent pas, d'emblée, s'ajuster facilement les unes aux autres.

Les pièces du casse-tête (figure 1)

Nos analyses nous ont permis d'identifier quatre pièces essentielles du casse-tête. La première est la stratégie.

Dans le cas cas des deux firmes, la mission de l'entreprise est clairement énoncée et comprise par les employés. La stratégie de chacune tient non seulement compte des forces concurrentielles de son environnement, mais elle mise sur l'acquisition et le maintien de ressources de valeur, comme le savoir des employés chez Oticon ou le réseau de partenaires chez Li & Fung. Dans les deux cas, la deuxième pièce qu'est la structure organisationnelle – l'organisation spaghetti chez Oticon, l'entreprise réseau chez Li & Fung – est alignée à la stratégie, comme l'est la troisième pièce, que constituent le déploiement des technologies de l'information et leur participation à la réalisation de la stratégie et au soutien de la structure. La quatrième pièce, représentant un leadership fort, est aussi présente dans les deux entreprises. Chez Oticon, Lars Kolind est admiré pour sa discipline, sa capacité de donner l'exemple, son ouverture d'esprit et son écoute. Quant aux frères Fung, co-dirigeants de Li & Fung, ils sont reconnus pour leur esprit de collaboration et la liberté d'action qu'ils allouent à leurs relevants.

Notre analyse de ces deux firmes et d'autres entreprises nous amène à conclure qu'il n'existe pas de façon unique d'ajuster ces quatre pièces; l'ajustement adéquat dépend de la situation de chaque firme. Qui plus est, cet ajustement doit être dynamique et s'adapter en continu aux changements de l'environnement.

Qu'ont en commun les firmes qui réussissent des transformations majeures?

La capacité de leurs gestionnaires à lire l'environnement et à en comprendre les menaces et les opportunités.

L'adéquation entre la stratégie, la structure et l'utilisation faite des technologies de l'information.

L'exercice d'un leadership fort de la part des dirigeants.

LA GESTION STRATÉGIQUE DU CHANGEMENT [1]
Alain Rondeau et Danielle Luc

Transformer son organisation demande de savoir d'où l'on part, par un diagnostic contextuel et organisationnel, et de préciser où l'on va, par une conception claire du changement envisagé.

Toutes les entreprises sont confrontées au cours de leur existence au besoin de changer, de s'adapter à un environnement turbulent et de plus en plus imprévisible qui remet en cause la pertinence des stratégies, des structures et des systèmes en place.

Souvent, les dirigeants sont conscients d'inefficiences dans leur entreprise et, par souci de réagir rapidement, se lancent tête baissée dans la mise en place de solutions qui semblent s'imposer à première vue. Or, les recherches récentes [2] sur ces questions semblent indiquer qu'une transformation réussie tient beaucoup plus à la capacité de changer qu'à la volonté de changer. On ne change pas seulement parce que l'on *doit* ou que l'on *veut,* mais bien davantage parce qu'on *peut* le faire.

Avant tout, il est primordial pour le gestionnaire de mener une réflexion stratégique de fond et ce, au tout début d'un processus de transformation. La détermination du contexte environnemental dans lequel baigne l'organisation et l'évaluation du fonctionnement

---

1. Cette chronique est un condensé des trois chroniques parues sous les titres et aux dates suivantes :
   – *Comprendre d'où l'on part avant de décider où l'on veut aller*, lundi 29 septembre 2003.
   – *Changer stratégiquement : comment conduire la transformation?*, lundi 6 octobre 2003.
   – *Le secret est dans le rythme*, lundi 3 novembre 2003.

2. – EISENHARD, K. et J. MARTIN. « Dynamic Capabilities : What Are They? », *Strategic Management Journal* 21 : 1105-1121, 2000.
   – ZOLLO, M., et S.G. WINTER. « Deliberate Learning and the Evolution of Dynamic Capabilities », *Organization Science* 13 : 339-351, 2002.

de celle-ci contribueront à préciser les capacités existantes et celles à développer pour soutenir le processus de transformation. Les résultats de ce diagnostic conditionnent non seulement la conduite du changement, mais en imposent aussi le rythme (voir schéma).

Des variables d'ordre...

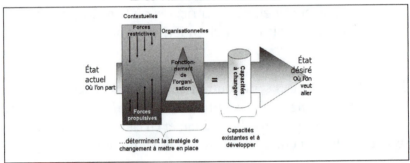

Ainsi, que ce soit pour vendre une division, réduire les coûts ou développer de nouveaux marchés, le dirigeant devra saisir les perturbations observées dans son environnement. Une étude en profondeur des pressions externes qui agissent sur l'organisation (les forces économiques, politiques, technologiques ou sociales) est essentielle. D'une part, ce sera l'occasion de clarifier les enjeux et d'évaluer le niveau de difficultés qui va en découler. D'autre part, cette compréhension fine des impacts de l'environnement ou des raisons qui poussent l'organisation à changer permettra de légitimer la transformation aux yeux des acteurs concernés.

On tente ensuite de poser un diagnostic rigoureux de l'organisation. Les questions auxquelles on doit répondre, à ce moment, sont les suivantes : Quelle est la culture dominante de l'entreprise? Quels sont ses modes de fonctionnement? L'entreprise a-t-elle déjà opéré un changement? Si oui, comment s'en est-elle sortie? Pourquoi?

Une organisation qui aura multiplié ses procédures et ses mécanismes de coordination pour une plus grande standardisation devra faire face à une force d'inertie plus importante qu'une jeune entreprise ou une firme moins complexe. La direction devra alors remettre en question un mode de fonctionnement depuis longtemps éprouvé. En d'autres termes, on évalue ici les obstacles auxquels on aura à faire face comme gestionnaire et qui influenceront nécessairement la mise en œuvre du changement.

Un tel diagnostic, mené avec toute la rigueur requise, soutiendra la construction d'un argumentaire essentiel pour légitimer le changement envisagé (Pourquoi changer? Est-ce nécessaire?).

On n'a qu'à penser aux réductions massives des effectifs dans le réseau de la santé, en réponse aux prérogatives d'un déficit zéro. Ces changements pouvaient paraître légitimes, mais connaissant la complexité du système et la difficulté à en prédire les effets, cette décision a eu pour conséquences de déstabiliser les établissements de santé et de démobiliser le personnel. Le choix de la démarche de changement doit donc se faire en fonction des résultats de l'analyse précédente.

Une vision claire de ce qu'on veut faire, des objectifs ciblés et des résultats attendus bien précis sont également des assises importantes pour la réussite de la transformation envisagée. Toutefois, la stratégie de mise en œuvre du changement annoncé varie aussi selon le type de changement à mettre en place.

Prenons le cas de Domtar dont le PDG, Raymond Royer, désirait améliorer la performance. Il a choisi, pour ce faire, de travailler sur les pratiques, les valeurs et les attitudes de ses employés. Ce type de changement prend du temps, il affecte la totalité de l'organisation, il commande un pilotage guidé et peut susciter des résistances si les résultats tardent à venir. D'autant plus que les nouvelles façons de faire étaient confrontées, dans ce cas-ci, à des conventions collectives rigides.

Il y a aussi les changements urgents, parfois essentiels à la survie de l'organisation, comme les redressements et les rationalisations qui ont pris place dans le secteur de la distribution alimentaire. Provigo et Métro ont dû se départir notamment de Sport Expert et de Giorgio et se centrer sur leurs activités clés (*core business*).

Ces transformations, jugées légitimes, n'ont guère soulevé de réactions. D'autres, au contraire, peuvent créer un haut niveau d'incertitude et ne sont possibles qu'à travers une planification extrêmement rigoureuse car elles affectent profondément les modes de fonctionnement habituels. C'est le cas de l'acquisition d'Adtranz par Bombardier qui a nécessité l'intégration d'une culture entrepreneuriale à celle hautement technique et professionnelle des Allemands, le tout parallèlement à la conversion des divers systèmes et modes de gestion.

Cet exercice de réflexion stratégique permettra alors d'élaborer et de construire un discours articulé, cohérent, donnant un sens au changement tout en identifiant les conditions nécessaires à mettre en place pour la réussite du changement.

> Conduire un changement organisationnel exige l'élaboration et le développement d'une démarche de mise en œuvre précise et adaptable ainsi que le déploiement et le suivi des activités essentielles à la pénétration du changement.

Au-delà du contexte interne et externe dans lequel le changement doit être réalisé, la direction d'une organisation doit prévoir le pilotage et le déploiement de la transformation, c'est-à-dire comment s'y prendre pour qu'une démarche de changement progresse et donne les résultats escomptés.

D'après les recherches réalisées au Centre d'études en transformation des organisations, s'il est difficile pour les dirigeants de formuler le changement et d'adopter une stratégie plutôt qu'une autre (par exemple, vendre une division déficiente ou tenter de la redresser), sa mise en œuvre est source de nombreux échecs. Or, il n'y a pas de recette toute faite, ni de modèle de changement meilleur qu'un autre puisqu'une transformation est nécessairement tributaire du contexte[3]. De grands principes peuvent toutefois être énoncés.

Premier principe : une équipe dédiée

Opérer un changement majeur dans une organisation, c'est un peu comme changer une crevaison sur une voiture en marche. Cela suppose que, tout au long du processus, les activités quotidiennes doivent se poursuivre, comme à l'habitude, avec le même souci d'efficacité.

On a donc souvent recours, pour opérer une transformation d'envergure, à une équipe de pilotage dégagée, autant que possible, de ses autres obligations et directement imputable à la haute direction pour sa mise en œuvre. Les firmes de consultants, responsables de la mise en place de nouvelles technologies, connaissent bien cette formule d'équipe dédiée.

La composition de cette équipe est cruciale, car le succès éventuel de l'implantation dépend, en grande mesure, de sa capacité d'intervenir à tous les niveaux. Elle devra porter le changement tout au long de son déroulement, c'est-à-dire négocier et faire les

3. – MILLER, D., R.GREENWOOD, et B. HININGS. « Miser sur le chaos créateur ou évoluer dans la continuité. Le schisme entre les perspectives normative et universitaire du changement organisationnel », *Revue Gestion*, vol. 24, n° 3, 158164, 1999.

– DEMERS, C. « De la gestion du changement à la capacité à changer », *Revue Gestion*, vol. 24, n° 3, 131-139, 1999.

arbitrages nécessaires, harmoniser les systèmes, revoir les pratiques, les rôles, les relations d'autorité, etc.

Il faudra également veiller à bien choisir comme responsable de l'équipe une personne ayant une légitimité irréprochable. Par exemple, une entreprise qui désire modifier en profondeur son organisation du travail choisira comme *champion* une personne bien au fait du nouveau modèle à implanter et donc hautement crédible auprès du personnel touché par ce changement. Ce chef d'équipe pourra s'entourer d'experts de divers domaines, provenant autant de l'interne que de l'externe.

Deuxième principe : une planification claire, un suivi rigoureux et un déploiement souple

Une fois l'équipe formée, la réussite de la transformation requiert un plan de développement où en sont précisés 1) les étapes, 2) une description exhaustive des activités à réaliser et 3) un échéancier de mise en œuvre.

Au départ, peu de place doit être laissée à l'improvisation. Le plan doit établir de façon concrète les cibles à atteindre et se doter d'indicateurs précis de progression. Ainsi, dans le cas d'une modification majeure des pratiques de travail, il faudra pouvoir suivre, non seulement l'acquisition des connaissances par les employés et l'adoption des comportements désirés, mais aussi la capacité de résoudre des problèmes grâce à ces nouvelles habiletés. Les activités de gestion du changement prennent ici toute leur importance.

Comme on ne peut pas tout changer en même temps sans risque de déstabiliser l'organisation, on procédera à un découpage du processus de transformation en plusieurs petits projets confiés à des sous-comités chargés de leur réalisation. Le fonctionnement en mode *projet* est un levier intéressant pour le développement de nouveaux comportements et habiletés et il suscite un engagement plus considérable des personnes impliquées [4]. Il a aussi l'avantage de créer une masse critique d'activités de changement qui contamine en quelque sorte l'organisation.

Évidemment, le comité de pilotage devra faire preuve de souplesse et revoir, si nécessaire, les stratégies, modalités et jalons de mesure en fonction d'événements non prévus.

Troisième principe : une communication soutenue

L'équipe de pilotage doit également s'intéresser aux comportements des acteurs concernés et plus particulièrement aux préoccupations de ses cadres et de ceux qui seront directement touchés par le changement [5]. Elle doit notamment s'assurer que les employés savent ce qu'on attend d'eux, que les nouveaux rôles et responsabilités soient bien définis, que des activités de soutien et de formation soient prévues, que les progrès accomplis aient été annoncés. La communication des résultats aura l'avantage, non seulement de favoriser l'implication de chacun, mais aussi de maintenir l'intérêt pour la transformation. Ces deux derniers points sont essentiels car nombre de changements majeurs ont souffert, au cours de leur mise en œuvre, de l'usure du temps et de l'érosion des priorités du moment.

En définitive, plusieurs études affirment que le principal facteur de succès d'un changement est la présence d'un bon leader qui crée une vision et l'articule en un modèle organisationnel approprié. Certes, il s'agit là d'une condition importante, mais la mise en œuvre d'un changement est avant tout le produit d'un effort collectif qu'il ne faut pas minimiser.

---

4. PICQ, T., et L. BOMPAR. « Comment utiliser le management par projet comme levier du changement comportemental », Réflexions à partir d'une étude de cas, *Revue Gestion*, vol. 23, n° 4, 1998.

5. BAREIL, C., et A. SAVOIE. « Comprendre et mieux gérer les individus en situation de changement organisationnel », *Revue Gestion*, vol. 24, n° 3, 86-94, 1999.

Peu importe la démarche de changement choisie, un changement stratégique prend du temps et exige des activités spécifiques afin de le faire progresser.

Nous ne saurions trop insister sur le rythme auquel doit se dérouler le changement. Pour les dirigeants ayant à gérer de telles transitions, une des difficultés majeures tient au rythme du changement.

Imposer un rythme rapide crée un stress évident sur l'organisation et accroît le risque d'erreurs. Procéder trop lentement remet en question l'urgence ou la nécessité de changer et, par conséquent, la légitimité même de la transformation. Mais comment imprimer un rythme adéquat au changement?

La progression du changement est rendue possible grâce à un ensemble d'activités, à des étapes cruciales de la transformation qui serviront essentiellement à installer certaines conditions propices à la réussite du processus de changement. Les activités d'orientation, de sensibilisation, d'habilitation et d'intégration sont ici examinées.

Les *activités d'orientation* passent par la construction habile de l'argumentaire reposant sur trois éléments : une vision forte de ce qu'on veut faire, une logique d'implantation cohérente et un sens clair des résultats visés.

Pour les dirigeants, le changement se révèle souvent une nécessité et, lorsque la décision stratégique est prise, on veut la mettre en place immédiatement. Par exemple, lorsqu'on a acheté un concurrent, on aimerait que les systèmes d'approvisionnement, financiers ou autres soient rapidement alignés et compatibles, que la qualité de la production ou du service soit comparable, bref, que les nouvelles façons de faire se substituent aux anciennes.

Pourtant, ces concordances se produiront seulement si une masse critique d'acteurs organisationnels est d'abord en mesure de comprendre ce qui se passe. La direction aura donc intérêt à mettre au point un argumentaire ou un discours qui justifie le « pourquoi changer », qui énonce les objectifs attendus (« ça va donner quoi? ») et qui définit « ce qu'on veut faire ».

Commencent alors les *activités de sensibilisation* des acteurs organisationnels concernés. À ce stade, l'essentiel est de communiquer aux employés le sentiment d'urgence et d'irréversibilité du changement. Lors de séances d'information, on laisse les gens s'exprimer librement afin de pouvoir mieux répondre à leurs préoccupations. Lorsque le changement est compris, la dynamique interne change : on passe de « comprendre ce qui se passe » à « vouloir participer ». Les questions ne portent plus sur le changement lui-même mais sur les enjeux créés, les inquiétudes ressenties et son impact sur le travail de chacun.

C'est à ce moment qu'on favorise l'adhésion au projet, que s'alignent les perspectives, que se mobilisent les énergies. On s'approprie le changement lorsqu'on est en mesure d'en comprendre les impacts et de définir les ajustements qu'il nécessitera.

Dans l'exemple de l'acquisition, le rythme du changement s'accentue lorsque les personnes touchées évaluent son effet sur leurs anciennes façons de faire. Les gestionnaires doivent débattre avec leurs équipes respectives des impacts possibles des changements sur leurs tâches et leurs responsabilités et, s'il y a des abolitions de postes en jeu, ils doivent rapidement donner l'heure juste. L'implantation du changement s'intensifie lorsqu'on passe de « comprendre » à « faire ».

À ce stade-ci, l'organisation se concentre sur les *activités d'habilitation* : l'acquisition de nouvelles capacités, compétences et pratiques. Pour ce faire, on met en place des activités d'encadrement

et de formation et on procède à une planification et à une réallo-
cation des ressources. Les progrès et les expériences de succès sont
rapidement diffusés afin que tous en prennent connaissance et en
apprécient les avantages.

Ne le cachons pas, c'est ici que les tensions seront à leur paroxysme
et que se feront sentir ambiguïté et incertitude mais, malgré les
difficultés, il faudra maintenir l'équilibre entre les exigences du
changement et les impératifs de la continuité. Le personnel touché
aura besoin d'être rassuré, encouragé dans ses nouveaux apprentissages; les activités d'habilitation faciliteront ce passage.

Par la suite, les *activités d'intégration* supposent la fin des ajustements à la marge afin de résoudre des problèmes ponctuels et
réclament des efforts concertés pour reconstruire la cohérence des
systèmes. À ce stade, les rôles et responsabilités doivent se sta-
biliser, les règles et procédures être révisées, les activités consolidées
et les redondances éliminées. En d'autres termes, les éléments du
changement cessent d'être des importations de l'externe pour
devenir partie intégrante du fonctionnement normal. L'organisation renouvelée s'approprie le changement. Dans notre exemple
précédent, la culture propre à chaque entreprise *parent* laisse
doucement place à une nouvelle culture unificatrice de l'action, une
nouvelle entité reconnue autant par les employés que les clients.

Somme toute, la dynamique de progression d'une transformation
doit continuellement s'adapter et se moduler aux pressions
externes, aux contraintes de l'organisation, aux préoccupations des
acteurs et son déploiement ne se fait pas nécessairement de façon
linéaire. Le rythme évolue selon les capacités des personnes et de
l'organisation à absorber le changement. Parfois, on doit revenir
sur des positions initiales qui font que la transformation n'est plus
tout à fait ce qu'on envisageait.

Gérer le changement, c'est aussi entrer dans une suite incessante d'ajustements, de confrontations et de conciliations.

RÉINGÉNIERIE : ATTENTION AUX COMPÉTENCES DISTINCTIVES

lundi 15 décembre 2003
Marie-Hélène Jobin

La révision des processus et les décisions d'impartition qui en découlent ont pris beaucoup de place depuis les dix dernières années dans le discours organisationnel, tant privé que public. Par exemple, le nouveau gouvernement québécois s'engage dans une restructuration de l'État qui amènera vraisemblablement des transformations importantes. Ces changements s'appuient sur une volonté d'alléger l'administration et de recourir davantage au secteur privé. Or, toutes les organisations, publiques ou privées, qui entreprennent de telles démarches ont besoin d'être guidées dans leur réflexion. Ces balises, elles peuvent les trouver en s'inspirant d'une riche expérience en matière d'impartition et de sous-traitance dans l'entreprise privée.

Beaucoup d'entreprises ont déjà eu recours à l'impartition pour améliorer leur position concurrentielle. Des entreprises comme Toyota, Eastman Kodak ou Nike ont toutes eu recours à l'impartition afin de soutenir leur stratégie d'entreprise. Dans plusieurs cas, cette décision s'est avérée profitable.

Le temps a cependant permis de mettre en doute certaines de ces décisions qui, à l'époque, ont révolutionné les pratiques établies. Actuellement, l'impartition est largement utilisée dans l'industrie automobile, dans le vêtement et l'aéronautique. Des fonctions telles que la gestion des technologies de l'information et des communications, la comptabilité de même que l'entretien et la maintenance sont libéralement imparties en tout ou en totalité à des partenaires. Cependant, pour limiter les risques associés à la décision d'impartition, on doit analyser les options sur la base de critères solides, qui ne sont pas tous de nature économique.

Critères lourds

La qualité des produits et des services, la sécurité, la fiabilité, la rapidité, la flexibilité et le potentiel d'innovation sont des critères lourds dans plusieurs décisions d'impartition. On abordera préférablement la problématique de l'impartition par l'angle du développement des compétences distinctives.

En bref, on a tout intérêt à impartir les processus qui ne sont pas aptes à fournir des avantages concurrentiels. Ces processus mobilisent des ressources et complexifient les organisations, détournant ainsi de précieuses énergies vers des activités non stratégiques. On devrait donc concentrer les ressources vers les processus et la fabrication des composantes qui nous distinguent de nos concurrents et qui nous permettent de nous tailler une place sur les marchés ou nous donnent un avantage d'efficience.

Cette approche basée sur la création de valeur est tout à fait appropriée au secteur public. Dans ce contexte, il ne s'agit pas à proprement parler de protéger un avantage concurrentiel, mais plutôt de conserver les processus qui sont centraux à la mission du gouvernement, c'est-à-dire ceux pour lesquels les valeurs de transparence, d'intégrité et d'équité ne peuvent pas être bradées aux lois du marché et ceux qui déterminent à long terme la capacité concurrentielle de la nation.

Par ailleurs, bien que des processus puissent être le cadre de compétences distinctives, certaines des activités qui les composent ne sont pas toutes aussi vitales.

Il est cependant primordial de conserver « l'intelligence des systèmes ». Par exemple, l'expertise nécessaire pour réaliser les tâches d'orientation stratégique, de suivi et d'évaluation de la performance doit dans tous les cas demeurer dans le portefeuille d'activités de l'État. À ces conditions, la production d'un contenu ou la prestation d'un service peut être imparti. Comme dans le privé, le critère principal de décision de sous-traitance doit donc être le caractère stratégique du processus ou de l'activité sous enquête (voir schéma).

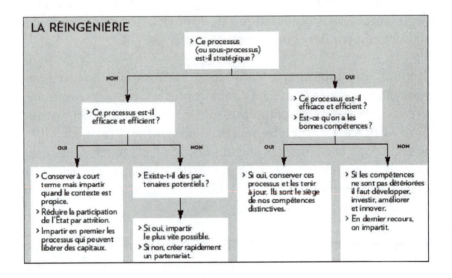

Si le processus est jugé non stratégique, à court ou à moyen terme, la décision d'impartition s'avère tout à fait justifiée. L'État devrait même rechercher de nouveaux partenaires d'affaires à l'extérieur de ses cadres si aucun de ses partenaires actuels n'est suffisamment qualifié pour prendre en charge ces activités. Dans le cas d'un processus jugé stratégique, il faut savoir si l'organisme gouvernemental est actuellement efficace et efficient dans sa réalisation. Si oui, il s'agit là de compétences distinctives et l'impartition n'est alors pas souhaitable. Sinon, toutes les énergies doivent être consacrées à l'innovation et à l'amélioration de ces processus. L'impartition n'est toutefois pas plus souhaitable, à moins que les compétences de l'État ne soient irrémédiablement détériorées.

Par ailleurs, il ne faut pas confondre la décision de retrait avec celle d'impartition. Dans un cas d'impartition, la maîtrise d'œuvre demeure dans les mains de l'État. Dans le cas d'un retrait, seule la réglementation procurera un garde-fou, parfois bien fragile, par la suite. Cependant, si une réflexion sérieuse amène à redéfinir la taille du filet de sécurité sociale souhaité, le choix de société sera alors éclairé. Ainsi, la décision d'impartition n'est pas machiavélique en tant que telle. Tout est dans la manière de mener cette démarche.

Les organisations, qu'elles soient privées ou publiques, doivent analyser de façon structurée leurs processus et évaluer l'à-propos de l'impartition, processus par processus. Il existe donc une place pour le privé dans la réorganisation de l'État québécois. La question n'est pas de savoir si le privé prendra une grande ou une petite place, mais bien plus de savoir s'il prendra la place qui lui convient.

> Les organisations doivent analyser chacun de leurs processus et évaluer l'à-propos de l'impartition, processus par processus.
>
> Les organisations n'ont pas intérêt à impartir les processus qui constituent leurs compétences distinctes.
>
> En somme, il est primordial de conserver l'intelligence des systèmes.

DES PISTES POUR PRÉPARER LA RELÈVE

lundi 16 décembre 2002
Louise St-Cyr

D'ici 5 à 10 ans, plus de 50 % des propriétaires-dirigeants de PME prendront leur retraite. Qu'adviendra-t-il de leur entreprise? Question préoccupante. Parce que les PME assurent une partie importante des emplois au Québec. Or, le passage d'une génération à une autre constitue souvent une période difficile pour l'entreprise. Les études ont d'ailleurs documenté un taux de disparition important des entreprises dans les premières années suivant la transition.

Pourquoi? Quels sont les défis associés au transfert d'entreprise?

Sur le plan de la propriété, ils sont d'abord d'ordre financier. À quel prix devrait se faire la transaction et comment devrait-elle être financée? Un montage financier inadéquat peut créer une situation financière malsaine et précipiter la disparition de la PME.

Sur le plan du transfert de la direction, les enjeux sont tout aussi importants. Si le changement de garde constitue une occasion de renouveau pour l'entreprise, un mauvais choix peut s'avérer catastrophique.

Lorsque le transfert s'effectue dans la famille, la situation est encore plus complexe. Les choix, tant du côté du partage de la propriété que de l'attribution des postes de direction, peuvent ébranler l'unité familiale et avoir des conséquences sur la survie de l'entreprise.

Comment s'y prendre alors? Chercheurs, accompagnateurs et spécialistes s'entendent sur une chose : la planification du processus de relève est un élément qui réduit les difficultés et augmente les probabilités de succès de la transmission.

Vision et objectifs

La planification doit commencer par l'identification des objectifs poursuivis par la personne dirigeante. La continuité de l'entreprise lui tient-elle à cœur? Souhaite-t-elle garder l'entreprise dans la famille?

Si elle est la mieux placée pour amorcer cette réflexion, on comprend qu'elle ne peut la mener seule. Les autres membres de la famille doivent s'exprimer. Si le désir de continuité au sein de la famille n'est pas partagé, cette option peut s'avérer irréalisable. Vaut mieux alors envisager la suite autrement.

Seules des discussions franches permettront de connaître les intentions de chacun. Et la continuité peut prendre d'autres formes : vente de l'entreprise aux cadres, aux employés, à un autre entrepreneur, externe à la famille, mais qui a à cœur la poursuite de la mission de l'entreprise.

L'établissement des objectifs doit être suivi de l'élaboration d'un plan d'action visant à assurer le transfert de la propriété et de la direction. Voici quelques réflexions utiles à ce titre.

Le transfert de propriété

À quel prix vendre?
Bien sûr, la notion de juste valeur est importante. Une transaction à un prix inférieur peut parfois donner un coup de pouce aux successeurs. Il faut cependant garder en tête que la vente de ses parts doit apporter à la génération sortante suffisamment de liquidités pour répondre à ses besoins financiers à venir.

Comment financer la transaction?
Il faut faire attention de ne pas surendetter l'entreprise. En fait, le choix entre l'emprunt et les fonds propres devrait dépendre de la

capacité de payer de l'entreprise, des besoins futurs de fonds pour sa croissance et des moyens financiers des successeurs.

Qui, dans la génération suivante, doit détenir des parts?
Quand le transfert se fait dans la famille, la situation des enfants qui ne sont pas actifs dans l'entreprise demande réflexion. Comme l'entreprise constitue une partie de leur héritage, la plupart des gens s'entendent pour leur accorder des actions. Mais pas nécessairement le même nombre ou de la même catégorie qu'aux autres impliqués dans la gestion. Il s'agit d'une question difficile qui doit faire l'objet d'un consensus entre les personnes intéressées.

Le transfert de direction

Qui choisir?
Choisir un remplaçant à un poste clé est toujours difficile. Certains paramètres objectifs aident à faire un choix : diplômes, années d'expérience, entrevue de sélection. Il faut s'en tenir à ces critères et tenter d'être objectif pour la sélection des futurs dirigeants, même quand le choix se fait parmi les membres de la famille. Il faut aussi se donner la chance de voir la relève à l'œuvre, sur certains mandats particuliers, par exemple. Et selon les circonstances, il ne faut pas exclure la possibilité qu'il y ait plus d'un successeur.

Quel rôle pour les prédécesseurs?
Autre question à se poser franchement. Plusieurs propriétaires-dirigeants ne peuvent s'imaginer faire autre chose! Planifier la relève, ça veut dire aussi envisager de façon lucide la suite des événements. Certains entrepreneurs coupent les ponts de façon très nette, d'autres siègent au conseil d'administration de l'entreprise ou encore occupent des postes divers pour un temps bien défini. Les choix à ce titre dépendront beaucoup de la personnalité des prédécesseurs.

En définitive

Il n'y a pas de recette toute faite pour réaliser la transmission. Entreprise familiale ou non, chacun doit trouver **sa** solution optimale. Cela demande d'abord du temps. Du temps pour réfléchir, pour échanger avec les personnes concernées, pour évaluer les différentes options, pour planifier. Des structures comme un conseil de famille et un conseil d'administration constituent des outils précieux qui favorisent la communication, facteur de succès aux dires de plusieurs entrepreneurs qui ont déjà vécu cette expérience.

L'aide d'un accompagnateur peut également constituer un atout. Après tout, ce n'est pas tous les jours que l'on transmet son entreprise!

Il y a deux dimensions au transfert d'une entreprise : le transfert de la propriété et le transfert de la direction.

Chacune de ces dimensions évolue selon son rythme et comporte des enjeux et des défis.

Il n'y a ni recette secrète, ni ingrédient miracle.

POUR FAVORISER L'ÉQUITÉ DANS L'ENTREPRISE FAMILIALE

lundi 9 février 2004
Francine Richer

Transférer une entreprise à ses enfants n'est déjà pas facile. Tenir compte de ceux qui ne travaillent pas dans l'entreprise ou qui ne détiendront pas d'actions est une question tellement délicate que plusieurs dirigeants se disent que vendre l'entreprise à des étrangers serait un moindre mal.

La plupart des chefs d'entreprise familiale planifient leur relève en *bon père de famille*. L'équité entre les enfants devient un enjeu de premier plan, quand on sait que plus de 80 % des dirigeants souhaitent passer le flambeau à leurs enfants et que l'entreprise représente souvent le plus beau joyau du patrimoine familial. Les dirigeants se méfient de tout ce qui risque de compromettre l'harmonie dans la famille et ne veulent à aucun prix être soupçonnés de favoriser Pierre aux dépens de Jacqueline.

Pour aborder le sujet délicat de l'équité dans le partage du patrimoine familial, chercheurs et consultants insistent sur la pertinence et l'utilité du conseil d'administration et du conseil de famille. Selon les résultats d'une recherche menée en 2002 par la Chaire de développement et de relève de la PME (HEC Montréal) auprès de 173 dirigeants d'entreprise ayant vécu un transfert, ces structures sont peu présentes dans les entreprises québécoises : seulement 28 % des entreprises étaient dirigées par un conseil d'administration et 16 % s'étaient dotées d'un conseil de famille au moment du transfert.

La première conséquence de l'absence de telles structures est que les étapes plus stratégiques de la planification du transfert sont négligées et que les questions d'équité ne bénéficient pas de la transparence que ces conseils leur apporteraient.

Dans plusieurs pays, les fiducies familiales existent depuis long-temps. Les ententes prénuptiales sont passées dans les mœurs. Les conseils d'administration regroupent des branches cousines d'une même famille et les conseils de famille jouent un rôle précis. Des règles de fonctionnement sont établies pour résoudre les conflits sans empêcher, toutefois, ni les échanges houleux, ni les confron-tations ouvertes.

La bonne volonté sera toujours la clé des ententes. Rien ni per-sonne n'est infaillible dans ce domaine, mais peut-être est-il sage de s'inspirer de l'expérience des autres.

Orientations claires

Un conseil d'administration compétent est indispensable, même pour la plus petite entreprise. Son rôle est d'élaborer les stratégies de développement de l'entreprise dont certaines affectent directe-ment l'équité entre les membres de la famille. Par exemple, celles qui portent sur le choix du successeur : critères de choix, suivi du plan de carrière, direction unique ou codirection, etc.

Et parce qu'ils ont une très bonne idée de la valeur de l'entreprise, ses membres peuvent expliquer aux héritiers les paramètres qui ont servi à établir cette valeur, peut-être avec moins d'émotion que le dirigeant.

Le conseil est compétent pour évaluer à quel prix les parts du prédécesseur doivent être rachetées par le successeur et par les autres membres de la famille, si ces derniers se montrent intéressés. Il peut aussi communiquer à la famille le récit d'expériences semblables à celles qu'elle s'apprête à vivre.

Transparence et harmonie

Porte-parole des valeurs et des objectifs de la famille en affaires, le conseil de famille est l'outil de transparence qu'elle se donne pour traiter des enjeux qui la concernent directement. Le degré de formalisme des réunions dépend de chaque famille, de la taille de l'entreprise et des décisions à prendre : souper spécial du dimanche, convocation verbale ou écrite, ordre du jour ou non, etc.

Un conseil de famille est l'endroit idéal pour communiquer aux membres de la famille les critères d'embauche dans l'entreprise, les conditions de rémunération et de promotion, et ce, pour tous les membres de la famille qui désirent se joindre à l'entreprise. C'est au conseil de famille que l'on décide de l'exclusion ou de l'inclusion des conjoints dans l'entreprise, au niveau des principes et non des cas individuels.

Le conseil de famille est le lieu privilégié, non seulement pour parler du partage de la propriété, mais aussi pour s'éduquer en tant qu'actionnaire, un rôle qui ne comprend pas que des privilèges.

Le conseil de famille est l'occasion de mettre cartes sur table et de faire connaître les arrangements qui lieraient les parents et certains de leurs enfants : des études avancées pour l'un, une maison pour l'autre, une fiducie pour assurer le soutien d'un enfant handicapé, des actions, selon les intérêts et les projets de vie de chacun. Les chiffres demandent un effort, mais ils parlent.

Le conseil de famille et le conseil d'administration sont des lieux de consultation et de décision qui favorisent la communication et la transparence, toutes deux sources d'harmonie. Parmi les 173 dirigeants québécois qui ont participé à l'étude de la Chaire, beaucoup ont déclaré que le transfert s'effectue avec moins de difficulté quand il y a une bonne communication dans la famille.

Pour un dirigeant et sa famille, parler est un beau risque et certainement le meilleur investissement à cette étape cruciale du transfert.

Dans une entreprise familiale, les membres de la famille ont des attentes, parfois secrètes, et jouent plusieurs rôles.

Le conseil d'administration et le conseil de famille peuvent contribuer à définir ces rôles et responsabilités et à clarifier les attentes.

L'improvisation est toujours un risque. Les bons scénarios favorisent le jeu des acteurs.

Liste des collaborateurs et collaboratrices

Ananou, Claude
- Directeur
- Direction de la formation des cadres et de la formation continue
- Membre de la Chaire d'entreprenariat Rogers-J.A.-Bombardier

Assoé, Kodjovi
- Professeur agrégé
- Service de l'enseignement de la finance
- Membre du Centre de recherche en e-finance (CREF)
- Membre du Groupe de recherche en finance (GreFI)

Aubert, Benoît A.
- Professeur titulaire et professeur en gouvernance et technologie de l'information
- Service de l'enseignement des technologies de l'information
- Directeur de la recherche
- Directeur du Groupe de recherche en systèmes d'information (GReSI)
- Fellow, Centre interuniversitaire de recherche en analyse des organisations (CIRANO)

Auger, Rachel
- Attachée d'enseignement
- Service de l'enseignement de la finance

Balloffet, Pierre
- Professeur agrégé
- Service de l'enseignement du marketing
- Membre du comité-conseil de la Chaire de commerce électronique RBC Groupe Financier
- Membre associé de la Chaire de commerce Omer de Serres
- Responsable pédagogique du DESS en communication marketing

Boisvert, Hugues
- Professeur titulaire
- Service de l'enseignement des sciences comptables
- Titulaire de la Chaire internationale CMA sur les processus d'affaires
- Membre du conseil d'administration de HEC Montréal

Bourhis, Anne
- Professeure agrégée
- Service de l'enseignement de la Gestion des ressources humaines
- Chercheure associée au Centre francophone d'information des organisations (CEFRIO)

Bouteiller, Dominique
- Professeur agrégé
- Service de l'enseignement de la Gestion des ressources humaines
- Chercheur associé: Groupe interdisciplinaire de recherche en formation-emploi (GIRDEP) et Chaire Bell en gestion des compétences de l'École des sciences de la gestion de l'UQAM

Chassé, Bernard
- Professionnel de recherche
- Chaire de leadership Pierre-Péladeau

Chebat, Jean-Charles
- Professeur titulaire
- Service de l'enseignement du marketing
- Titulaire de la Chaire de commerce Omer de Serres
- Membre du Groupe de recherche et d'enseignement en marketing

Desormeaux, Robert
- Professeur agrégé
- Directeur
- Service de l'enseignement du marketing
- Directeur
- Programme TVA-HEC Montréal en gestion télévisuelle et cinématographique

Dupuis, Jean-Pierre
- Professeur agrégé
- Service de l'enseignement du management

Filion, Louis Jacques
- Professeur titulaire
- Service de l'enseignement du management
- Titulaire de la Chaire d'entrepreneuriat Rogers – J.-A.-Bombardier

Fortin, Jacques
- Professeur titulaire
- Service de l'enseignement des sciences comptables
- Responsable pédagogique du DESS en comptabilité publique

Francoeur, Claude
- Professeur adjoint
- Service de l'enseignement des sciences comptables
- Membre de la Chaire de gouvernance et juricomptabilité

Hafsi, Taïeb
- Professeur titulaire
- Service de l'enseignement du management
- Titulaire de la Chaire de management stratégique international Walter-J. Somers

Halley, Alain
- Professeur agrégé
- Service de l'enseignement de la gestion des opérations et de la production
- Membre du Groupe de recherche CHAÎNE sur la gestion de la chaîne logistique (Supply Chain Management)

Harel-Giasson, Francine
- Professeure titulaire
- Service de l'enseignement du management
- Membre du Groupe Femmes, Gestion et Entreprises
- Professeure associée à la Chaire de leadership Pierre-Péladeau

Hébert, Louis
- Professeur agrégé
- Service de l'enseignement du management

Jacob, Réal
- Professeur titulaire
- Directeur
- Service de l'enseignement du management
- Membre du Centre d'études en transformation des organisations (CETO)
- Directeur scientifique, CEFRIO

Jobin, Marie-Hélène
- Professeure agrégée
- Service de l'enseignement de la gestion des opérations et de la production
- Directrice du Centre de cas

Kélada, Joseph
- Professeur titulaire
- Service de l'enseignement de la gestion des opérations et de la production

Kisfalvi, Veronika
- Professeure agrégée
- Service de l'enseignement du management
- Directrice des diplômes d'études supérieures

Labrecque, JoAnne
- Professeure agrégée
- Service de l'enseignement du marketing
- Membre associée de la Chaire de commerce Omer de Serres

Lamontagne, Élaine
- Chargée de cours, HEC Montréal
- Consultante, SERVICE CONSEIL ÉLAM
- Secrétaire et membre du CA, Regroupement des professionnels de l'exportation (REPEX)

Lapierre, Laurent
- Professeur titulaire
- Service de l'enseignement du management
- Titulaire de la Chaire de leadership Pierre-Péladeau
- Membre associé de la Chaire de gestion des arts

Lapointe, Alain
- Professeur titulaire et professeur en gestion de l'énergie
- Institut d'économie appliquée
- Directeur du Centre d'études sur les nouvelles technologies et les organisations (CENTOR)

Luc, Danielle
- Professionnelle de recherche
- Centre d'études en transformation des organisations

Mandron, Alix
- Professeure titulaire
- Service de l'enseignement de la finance

Martel, Louise
- Professeure titulaire
- Directrice
- Service de l'enseignement des sciences comptables
- Membre de l'Alliance de recherche sur la nouvelle économie
- Associée universitaire du cabinet KPMG

Nantel, Jacques
- Professeur titulaire
- Service de l'enseignement du marketing
- Directeur de la Chaire de commerce électronique RBC Groupe financier

Noël, Alain
- Professeur titulaire
- Service de l'enseignement des affaires internationales
- Fellow, Ordre des administrateurs agréés du Québec

Panet-Raymond, Antoine J.
- Conseiller principal
- Projets internationaux
- Centre d'études en administration internationale (CETAI)
- Coordonnateur du Groupe d'analyse des marchés internationaux (GRAMI)

Provost, Michel
- Professeur agrégé
- Service de l'enseignement du management
- Directeur du Groupe d'études et de recherche sur le management et l'écologie

Richer, Francine
- Consultante auprès des familles en affaires
- Analyste et rédactrice de cas
- Membre associée de la Chaire de développement et de relève PME

Rivard, Suzanne
- Professeure titulaire
- Service de l'enseignement des technologies de l'information
- Titulaire de la Chaire de gestion stratégique des technologies de l'information
- Membre du Groupe de recherche en systèmes d'information (GReSI)
- Fellow, Centre interuniversitaire de recherche en analyse des organisations (CIRANO)

Rondeau, Alain
- Professeur titulaire
- Service de l'enseignement du management
- Directeur du Centre d'études en transformation des organisations

St-Cyr, Louise
- Professeure titulaire
- Service de l'enseignement de la finance
- Titulaire de la Chaire de développement et de relève de la PME
- Directrice du Groupe Femmes, Gestion et Entreprises

Talbot, Jean
- Professeur titulaire
- Service de l'enseignement des technologies de l'information
- Directeur du programme de M.B.A.
- Membre du Groupe de recherche en systèmes d'information (GReSI)

Vandenberghe, Christian
- Professeur agrégé
- Service de l'enseignement du management

Vézina, Michel
- Professeur agrégé
- Service de l'enseignement des sciences comptables
- Directeur et rédacteur en chef, *Revue Internationale de Gestion*
- Membre du Groupe de recherche en systèmes d'information (GReSI)

Index